激動 日本左翼史

学生運動と過激派 1960—1972

池上彰 佐藤優

講談社現代新書

2643

はじめに

前著の『真説 日本左翼史 戦後左派の源流 一九四五―一九六〇』では、太平洋戦争後の左翼の歴史を扱うのに独特の枠組みを据えた。それは日本社会党と日本共産党の対立と競争を軸に据え、社会党という傘の下で新左翼諸党派が発展してきたという枠組みだ。この枠組みについては、日本共産党を宗教的に信奉する一部の読者を除いて、好意的に受け止められた。

また、私と同世代（私は一九六〇年生まれ）で同志社大学で学生運動を経験した友人たちからは、「暴力反対というプラカードに釘を刺して襲いかかってきた民青（日本共産党の青年組織）の謀略性を思い出した」という連絡があった。前著を出す前のことだが、民青の暴力性については、沖縄で現在公明党の幹部をつとめる人から、「僕は過激な学生運動とは距離を置いていたが、琉球大学で民青が革マル派の学生を殺す事件に触れて沖縄人民党（日本共産党沖縄県委員会の前身）の暴力性に戦慄した。あれから私は共産党の言うことを信じなくなった」と言っていたことを思い出した。

現在の日本共産党の党員には、自分の党で過去に何があったかを本書を通じてよく知って欲しい。そして、公認党史である『日本共産党の八十年』に記されているきれい事と較べて、心に引っかかることがあれば、その疑問を大切にして欲しい。日本共産党は、一九二二年にコミンテルン（国際共産党）日本支部として生まれ、今日まで革命を目指すという方針を崩したことはない。その本質は、共産党組織への全面的忠誠と信仰を要請するスターリン主義という宗教だ。現下、日本の資本主義体制にさまざまな構造的欠陥（格差、失業、貧困、環境破壊、人生の目的が定まらないという疎外など）があるのはまちがいない。しかし、それを解決する処方箋としてスターリン主義を導入することはあってはならないシナリオだ。

他方、スターリン主義を忌避するからといってマルクスの知的遺産を軽視してはならない。戦前の労農派マルクス主義（非共産党系、戦後は社会党左派の支柱）、講座《こうざ》派マルクス主義（共産党系）には優れた知的遺産がある。丸山《まるやま》（眞男《まさお》）政治学、大塚《おおつか》（久雄《ひさお》）史学、網野《あみの》（善彦《よしひこ》）史学、日本型経営論は、いずれも講座派の伝統を継承している。対して宇野《うの》（弘蔵《こうぞう》）経済学、柄谷《からたに》（行人《こうじん》）哲学は労農派の伝統を継承している。池上氏も私も現在は特定の党派に所属していないが（私は高校二年から大学二年まで社会党系の青年組織である日本社会主義青年同盟協会派の同盟員だった）、基本的に労農派の枠組みが正しいと考えている。講座派系マルクス主義や日本共産党を支持する人は、ざらざらする感じがすることもあるだろうが、頑張って読み進めて欲しい。私たちなりに日本共産党の真の姿を国民の目に明らかにしようと努力したつもりだ。

かつて新左翼運動で活動していた現在六〇代後半から七〇代の人たちからは一部に激しい反応があった。そのほとんどが早稲田大学の学生運動で革マル派と対峙した経験を持つ人々だった。「おまえ（佐藤）の黒田寛一《くろだかんいち》（革マル派の創設者でありイデオローグ）に対する評価は甘い。あいつらのせいで俺がどういう目に遭わされたかわかっているか」という個人的経験に基づくものだ。個人的経験ならば、筆者はブント（共産同）系の小セクトと対立したし、中核派には友人がバールで足を折られ、民青には私を含む神学部の学生が何人も怪我をさせられた。ただし、これらの体験と共産党の宮本顕治《みやもとけんじ》氏、上田耕一郎《うえだこういちろう》氏、不破哲三《ふわてつぞう》氏、革マル派の黒田寛一氏、ブントの姫岡玲治《ひめおかれいじ》氏、社会党・社青同解放派（革命的労働者協会）の中原一《なかはらはじめ》氏がマルクス主義の優れた理論家であることとは別の問題であると私は整理している。

第二弾となる本書『激動　日本左翼史』では、左翼史で最も重要な一九六〇～一九七二年を取り上げる。学生運動が盛り上がり、セクト同士の内ゲバが激化し、過激派によるテロ事件が多発した時代だ。なぜ左翼は過激化と自滅の道を歩んでしまったのか。左翼の「失敗の本質」から学ぶべき教訓は山ほどあるが、何より自らの命を投げ出しても構わない、他人の命を奪うことにも躊躇しない「思想の力」の恐ろしさを知ることが大切だと考えている。

池上氏と私は、明治期から現代までの日本左翼史を講談社現代新書から刊行したいという野望を持っている。左翼の良い遺産を取り出し、悪い慣習を克服するための材料を読者に提供したい。

本書を上梓するに当たっては講談社現代新書の青木肇編集長、小林雅宏氏、フリーランスのライターで編集者の古川琢也氏にたいへんお世話になりました。


二〇二一年一一月七日、ロシア社会主義革命一〇四年の記念日に

佐藤　優

目次

第一章　六〇年安保と社会党・共産党の対立（一九六〇〜一九六五年）

第二章　学生運動の高揚（一九六五〜一九六九年）

第四章　過激化する新左翼（一九七〇年〜）

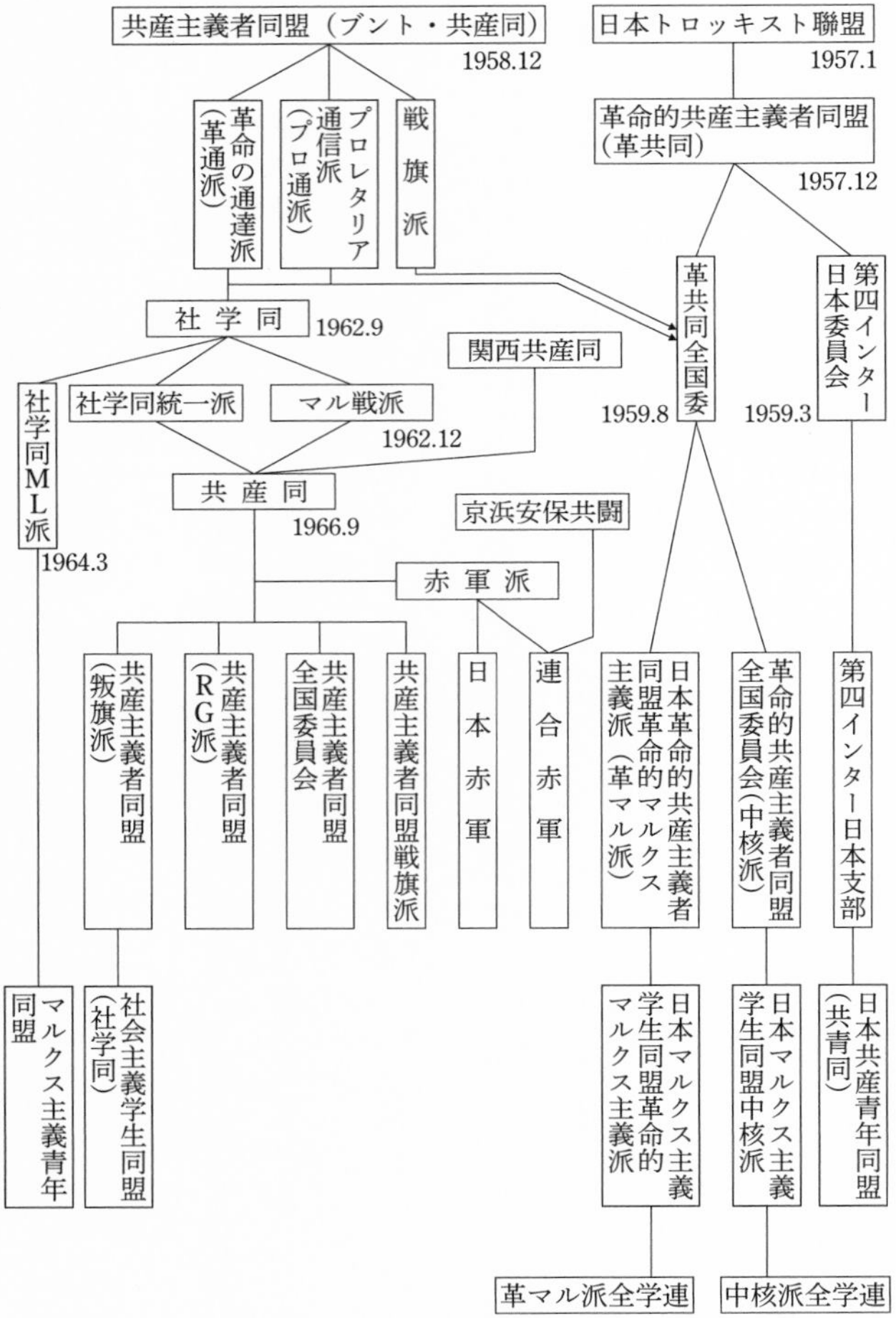

『党と青年運動』（日本社会党中央本部青少年局）を元に加筆・修正して作成（※細部は複雑で、不明瞭な部分も多い）

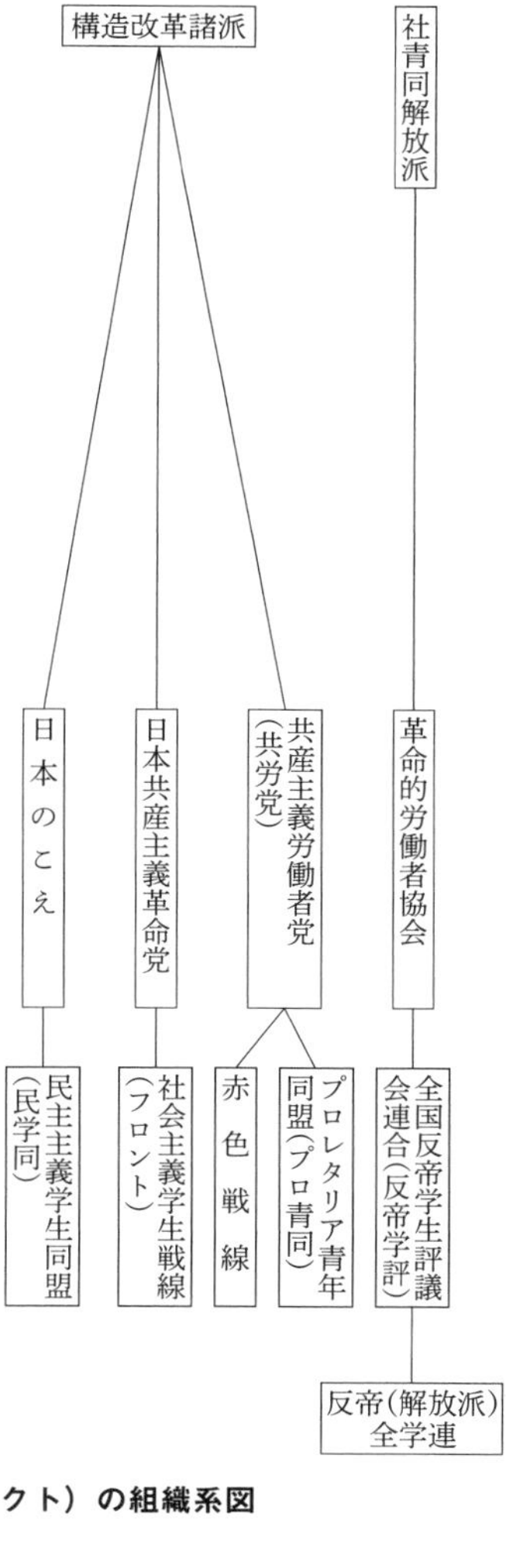

資料：新左翼（セクト）の組織系図

序章

「六〇年代」前史

共産党、社会党、そして新左翼――。
ここに「激動の左翼史」の役者が揃った。

「左翼史の核心」としての六〇年代

池上　戦前から現在までの日本左翼史を通観する目的で佐藤さんと始めたこの対談も、二巻目に突入しました。

佐藤　二〇二〇年から続くコロナ禍の影響もあり、格差や貧困がさらに拡大しました。社会の分断が深刻化しています。そして、いま私たちが直面している問題の多くは左翼が掲げてきた論点そのものなのです。危機の時代を生き抜くために、左翼の功罪を検証し、世界の新たな展望を切り開く「左翼の思考」を取り戻さなければならない——。こうした問題意識から始めたのが今回の対談でした。

池上　シリーズの最初となる前巻では、日本の敗戦から一九六〇年の安保闘争までを一つの区切りとし、主に日本共産党と日本社会党という戦後政治における左派の二大政党を軸に話をしてきましたね。

今巻で対象とするのは一九六〇年から先、この二党に加えていわゆる「新左翼」が左翼史の主役の一角に躍り出る時代となります。

一九五〇年代後半に入り、次第に問題点が露呈しつつあったソ連型社会主義への失望と、そのソ連、あるいは中国共産党の影響力から脱しきれない日本共産党や日本社会党など既存左翼政党に対する不満が高まってきました。新左翼とは、彼らに代わってマルクス主義を正しく継承し、日本での社会主義革命を実現しうる新たな革命政党が必要だと考えた、当時の学生たちによって結成された党派の総称です。

新左翼による学生運動は一九六〇年の安保闘争で社会・共産両党以上の存在感を示し、六〇年代半ば以降は彼ら自身が組織した全学共闘会議（全共闘）という運動体を通じて様々な反戦闘争や大学の自治確立のための闘争で主役となりました。

彼らの問題提起は、一九五五年に開戦してから泥沼化の一途をたどるベトナム戦争を背景に盛り上がっていた反戦世論を追い風に、一般社会からも一定の共感を獲得します。そしてその闘争は、一九六八年に東大全共闘の学生たちが東大・安田講堂に立て籠もった安田講堂事件、日大全共闘の学生たちが大学側の不祥事を追及した日大闘争でひとつのピークを迎えました。

しかし、新左翼は闘争の過程で共産党系の青年組織である民青[1]と激しく対立し、さらには同じ新左翼どうしでありながら、主に革命の方法論をめぐってお互いに激しく憎み合うようになりました。この争いは単なる論戦では終わらず、角材（ゲバ棒）や鉄パイプで武装しては学園内外で対立党派のメンバーを襲撃する「内ゲバ」に発展しました。なかで

1 民青：「日本民主青年同盟」の略称。日本共産党の指導下にある青年組織。

も、後述するように新左翼の一派である「革共同（革命的共産主義者同盟）」から分派した革マル派（日本革命的共産主義者同盟革命的マルクス主義派）と中核派（革命的共産主義者同盟全国委員会）の抗争は激しく、彼らの内ゲバは双方の陣営で数十人もの死者を出す極めて陰惨なものとなりました。

内ゲバの激化と比例するように権力側との争いも一種のテロリズムと化していき、権力側の取り締まり強化によって多数の逮捕者を出した新左翼は組織の弱体化を招きます。そうしたなかで追い詰められた赤軍派[2]と呼ばれる党派と、そこから派生したグループが暴発するように「よど号ハイジャック事件」「山岳ベース事件」「あさま山荘事件」「テルアビブ空港乱射事件」など日本および世界の犯罪史上に残る大事件をいくつも起こします。これら一連の事件の衝撃によって新左翼は一般社会から完全に浮き上がってしまい、事実上命脈を絶たれることになります。

佐藤　**第二巻となる本書が取り扱うのは左翼運動が最高潮に達しながらその後急速な凋落を辿っていった時代にあたり、左翼史全体を通じても特に歴史の教訓に満ちた時代です。**まさに、この時代は**「左翼史の核心」**と言えるでしょう。

「左翼の功罪」という点で言うと、六〇年代は「罪」が強く浮き彫りになった時代です。何より、過激な学生運動と内ゲバ、七〇年代に起きたあさま山荘事件や過激派によるテロ事件の印象が強く、「左翼は危険な思想」という総括が決定的になってしまいました。今に至るまで左翼が人々から敬遠される傾向が強いのは、これらの事件が日本の社会に記憶されているからです。

池上　**なぜ左翼は失敗したのか。この本では一貫してこの問いに立ち返ることになるでしょう。**そして、**左翼の顛末を歴史の教訓として総括することは、最も学生運動が盛り上がっていた一九六八～一九六九年に大学生になった私の使命でもあります。**学生だった時の記憶を思い起こしながら、歴史の真相に迫っていけたらと思います。

佐藤　新左翼を主役とする学生運動はどのようにして盛り上がり、そして挫折したのか。その理由はなにか。そしてこの流れに社会党と共産党はどうかかわっていたのか――。本書ではこれらの論点について、池上さんとの対話を通じて検証していきたいと考えています。

前巻のポイント① 講座派と労農派

池上　本格的に話を始める前に、まずは前巻『真説 日本左翼史』の内容を骨子の部分だ

2　赤軍派：共産主義者同盟赤軍派。一九六九年に結成された新左翼の一派。

けでもおさらいしておくことにしましょう。

佐藤　そうですね。まず読者に思い出してもらいたいのが、戦前の日本のマルクス主義者たちの間で、日本の資本主義をどう理解するかをめぐって議論があったことです。

岩波書店の『日本資本主義発達史講座』（一九三二年五月〜三三年八月、全七巻）の執筆者であったことから「講座《こうざ》派」と呼ばれた経済学者たちは、日本の資本主義が「絶対主義的な天皇制」「地主的土地所有」「独占資本主義」という三者が分かちがたく結びついた体制であるとみなし、まずは天皇制を打倒する人民革命を起こして普通の資本主義国をつくり、しかるのちに社会主義革命を起こす「二段階革命」が必要だと考えました。「原始社会→奴隷制→封建主義→資本主義→社会主義」というマルクス主義が想定する社会の発展段階論に従えば、日本はまだ資本主義にも到達していない遅れた段階だと考えたのです。この講座派の理論は、一九二二年七月に結成されていた日本共産党の基礎理論にもなりました。

それに対して、政治雑誌『労農』に執筆していたことから「労農派」と呼ばれた向坂逸《さきさかいつ》郎《ろう》、山川均《やまかわひとし》などのマルクス主義者たちは、日本が講座派の言うような特殊な国だとは考えませんでした。明治維新は不完全ではあったものの欧州のブルジョア革命に相当するものであり、明治以降の日本はすでに資本主義国になっていると考えたのです。「労農派」は

「講座派」としばしば対立し、後に日本社会党の源流ともなります。
　この二つの水脈が、共産党と社会党の国際認識や国内政策の相違にもつながっていきますので、講座派と労農派の系譜を整理することが大切です。

池上　共産党は戦前、非合法政党であったことから激しい弾圧を受け一九二八年の「三・一五事件」で徳田球一《とくだきゅういち》、志賀義雄《しがよしお》らが治安維持法違反で逮捕されます。中央常任委員だった宮本顕治《みやもとけんじ》も「スパイ査問事件」の主犯として捕まるなど、幹部が次々に逮捕・投獄され壊滅状態に陥り、転向を拒否した幹部のほとんどが獄中で敗戦を迎えました。
　しかし日本の敗戦により連合国軍の進駐が始まり、ポツダム宣言に基づく占領政策が始まると、徳田や志賀ら獄中にいた日本共産党の幹部たちは釈放され、徳田を新書記長とした合法政党として再出発を果たします。

佐藤　そして一九四五年一一月には戦前の無産政党、つまり合法的社会主義政党の関係者たちが大同団結して日本社会党を結成します。集まった党員の左右の幅がきわめて広かったために社会党は何度か分裂と再統一を繰り返すのですが、社会党左派は労農派の向坂や山川を理論的支柱とし、日本で社会主義革命を実現しようと本気で考えていました。ただそこに至るための方法論としては、ソ連でレーニンが成し遂げたような武力革命は否定する「平和革命路線」を掲げ、「非暴力」の一線は絶対に譲りませんでした。

前巻のポイント② 戦後の共産党・社会党の歩み

池上 一方で日本共産党も、戦後間もない時期には大衆的な支持を拡大しつつありましたが、出発点のところで致命的な間違いを犯してしまいました。指導者の徳田と志賀が府中刑務所を釈放されるにあたって、占領軍をファシズムから日本人民を解放してくれる「解放軍」であると規定してしまったことです。

この「解放軍規定」によって、占領軍の実質的主体である米軍に逆らえない立場に自らを追い込んでしまった共産党は、同党の呼びかけで国内の全産業が一斉にストライキに踏み切るはずだった「二・一スト」（一九四七年）の中止を占領軍が命じたときも受け入れざるを得ませんでした。そしてこれが日本の労働運動を大幅に後退させる決断をしたとして左派全体の非難を浴びる結果になり、労働運動における主導的立場も失ってしまいました。

佐藤 「二・一スト」の失敗で「解放軍」幻想から覚めた共産党は、これでようやく本格的に革命に向かって動き出すのですが、GHQはそれを歓迎しませんでした。

池上 中国大陸では毛沢東《もうたくとう》率いる共産党が一九四九年に「中華人民共和国」を建国します。また、朝鮮半島でも金日成《キムイルソン》が三十八度線以北に社会主義国を作ろうとしていました。

こうした状況を受けて、当初は日本の民主化と非武装化を最優先としていたGHQ内部で主導権争いが勃発します。その中で「下山事件」をはじめとする不可解な事件が次々と起こり、当局はこれらが共産党の仕業と発表しました。

そのように日本国内で追い詰められていた日本共産党に対して、一九五〇年一月には国際共産主義運動の拠点であったコミンフォルムが「日本の情勢について」という論文を発表し、ここで平和革命路線を「幻想」と切り捨てました。

佐藤　このとき徳田球一ら当時の日本共産党執行部は『「日本の情勢について」に関する所感』という論文を発表して、コミンフォルムに反論する形で平和革命路線の継続を訴え「所感派」と呼ばれたのに対し、後に委員長として共産党を束ねることになる宮本顕治ら「国際派」と呼ばれるグループは「コミンフォルムの指示に従うべきだ」と主張し二派に分裂しました（五〇年分裂）。しかし所感派は、中国共産党にも平和革命路線を批判され、けっきょく武装闘争路線に転換します。抗日戦争中の毛沢東の戦術に倣って「山村《さんそん》工作隊」「中核自衛隊」などの武装グループを組織し、火炎瓶を用いた列車襲撃などを各地で行いました。

これを受けてGHQは徳田ら共産党幹部を公職から追放し、機関紙「アカハタ」の発行停止を命令します。無謀な武装闘争に走って国民から完全に見放され、ガタガタになった共産党は一九五五年に、日本共産党第六回全国協議会（六全協）を開催して宮本ら「国際派」を中心とする体制に移行し、ここで武装闘争路線を放棄すると決めます。

現在の共産党は、五〇年分裂後に行った武装闘争はすべて徳田ら「分派」がごく一部の党員を引き入れて起こした過ちであり、現在の共産党に連なる人々は一切関与していないどころか当時は何が起きていたのかさえ知らされていなかったのだ、と総括しています。

いっぽう社会党左派は共産党とは対照的に、東アジア情勢が緊張の度を増していくのを見て、日本が再び戦争に巻き込まれるという危機感を強めていました。五〇年一月には「全面講和、中立堅持、軍事基地反対」から成る「平和三原則」を党の基本方針として決定します。

池上　その姿勢が戦争にうんざりしていた一般国民に支持され、五〇年分裂後に共産党支持をやめた左派を取り込むことにも社会党は成功しました。労働運動の分野でも、もともと労使協調・反共的な性格の組合だった「総評」（日本労働組合総評議会）が、社会党系の組合が多数流入してきた結果、急速に左傾化しました。この総評に下支えされることで、社会党はさらに大きな力を持ちました。

これに対し財界は、このままでは日本で社会主義革命を起こされかねないとの危機感から、当時存在した二つの保守政党である自由党と日本民主党に働きかけ、自由民主党が結党されました（五五年体制の確立）。

そして翌一九五六年に、日本はもちろん、世界中の左翼を動揺させる二つの大事件が起きます。ひとつは二月にソ連共産党の党大会でフルシチョフ第一書記が、自分の前任者であり、レーニンの後継革命家として社会主義陣営で絶大な尊敬を集めていたスターリンを批判したことでした。

スターリンはレーニンが禁じていた指導者への個人崇拝を奨励し、自分の権力維持の妨げになりそうな人間には「反革命」などの濡れ衣を着せることで片っ端から粛清していました。しかもその「粛清」の内容たるや、一九三五～四〇年の間に一五四万人が逮捕され、約六九万人が銃殺されていた……そうした衝撃的な事実がこのときに初めて明らかになりました。

さらに一〇月には、社会主義陣営に属しながら独自の自由な政治体制を模索しつつあったハンガリーに対し、ソ連が軍を差し向けて強引に制圧し、市民を殺害する「ハンガリー動乱」が起きました。

それまで日本の左翼たちが理想的な国と考えていたソ連で起きたこの二つの事件は、若い真面目なマルクス主義者にソ連やスターリンという存在についての捉え直しを強いることになります。やがて彼らの中からスターリンやスターリン以降のソ連、ひいてはそれらの影響を脱することができない既成左翼への批判者も現れるに至りました。

つまり表向きは社会主義を掲げながらも、その実は官僚主義や個人崇拝が蔓延している社会主義政党、あるいはそうしたものとの縁を切れない社会主義者のありようを「スターリニズム（スターリン主義）」と呼んで批判・忌避する動きが広まったのです。スターリニズム批判は一九五六年以降に広まった世界的潮流ではありましたが、日本においてそのスターリニズム批判を担ったのは主に新左翼でした。

佐藤　そうした新左翼の台頭と反スターリニズム思想の盛り上がりの中で、一九五九年には三井鉱山が六七〇〇人もの人員整理を発表したことをきっかけに戦後最大の労働争議「三池闘争」が勃発します。そして翌一九六〇年には、一九五一年のサンフランシスコ講和条約締結時に日米間で結ばれていた旧日米安保条約を改定することに反対する勢力による「六〇年安保」闘争が巻き起こりました。

前巻ではこの二つの闘争で社会党と新左翼が共闘関係を結んでおり、その関係の中で社会党が新左翼を育てる「傅育器《ふいくき》」の役割を果たしたというのが主要な論点でした。安保闘争については、本巻の第一章で改めてその意義について考えることにしましょう。

全学連と「層としての学生運動」

池上 新左翼が台頭するまでのプロセスは前巻でも若干言及しましたが、この過程をもう少し詳しく見ていくことで、本書を読む上での基礎知識を整理しておきましょう。

佐藤 そうですね。新左翼には大きく分けて、「ブント系[3]」と「革共同系[4]」という二つの系統がありますが、このうちブントの系統は「もともと共産党にいたものの党中央と対立し除名された学生たち」という点に特徴があります。

池上 ブントの源流は一九四八年七月六日に結成された全国の大学自治会の総連合会「全日本学生自治会総連合」（通称「全学連」）にありました。日本では戦争中、学生運動は死に絶えたも同然の状態にありましたが、敗戦翌月の一九四五年九月に茨城県の旧制水戸高等学校で、生徒たちが軍国主義教育を主導した校長の罷免と進歩的な教員の復職を求めてストライキを行い、要求を実現させたのを機に一気に活性化しました。初期のＧＨＱも日本の民主化を推進したい立場からこれを後押しし、これにより小学校では児童会、中学・高校では生徒会、大学では自治会というように、全国の学校に生徒・学生が自治を行うための組織が作られるようになりました。

3　ブント：共産主義者同盟。一九五八年に結成した新左翼の一派。
4　革共同：革命的共産主義者同盟。一九五七年に結成した新左翼の一派。

佐藤　いわゆる「ポツダム自治会」[5]ですね。

池上　この過程で各大学の自治会を束ねる組織の必要が生じ、全学連が結成されました。初期の全学連は共産党の影響がきわめて強い組織であり、初代委員長に就任した東京大学の学生・武井《たけい》昭夫《てるお》もこのときは共産党の学生党員でした。ただ武井は一九五〇年分裂の際に除名処分となっており、一九五五年の六全協で復党するも一九六一年に再び党の組織運営を批判して除名され、その後は文芸評論家としての活動に専念しています。

佐藤　武井らが提唱した「層としての学生運動」論は、レーニンが自らの革命論をまとめた著書『何をなすべきか』をベースに学生運動とは何かを位置づけようとした理論なのですが、のちの新左翼台頭を準備したという点でもきわめて重要です。

　マルクス主義において革命の担い手とされるのは、通常、生産手段を資本家にあらかじめ奪われている労働者階級だけです。しかしレーニンは、労働者は自己の労働力の商品化、つまり日々の労働によって賃金を得る行為と同時に、労働者階級が資本家階級への屈従を甘受させられるという階級関係、ひいては資本主義を絶対普遍のシステムとみなすイデオロギーも再生産させられていると考えました。

　それゆえにレーニンは、労働者は本来的に革命の主体となるべき存在でありながら、一方では資本主義体制からの脱却が原理的に難しいという矛盾した性格をもつと考えました。そしてこの矛盾を解消するために職業的革命家の集団であるボルシェビキを結成し、この職業革命家たちが労働者階級の意識に外部から働きかけることで初めて革命は成功に導けるのだという「外部注入論」を提唱し、実際にこの理論を実践してロシア革命を成功させたのです。

武井はこのレーニンの外部注入論を下敷きにして、学生たちの多くは労働者の家庭で育ちいずれは彼ら自身も労働者になるにしても、現時点ではまだ労働者になっていないがゆえに、資本家階級が支配する生産関係に囚われることなくものを考えることができる存在だと考えました。資本家階級と対峙する労働者階級ではないものの、一種の「層」として革命の担い手になれる彼ら学生たちが先駆的な役割を果たすことで資本主義の矛盾を突破しうると考えたのです。

池上　弁護士や学者など自分の知識を切り売りする職業の者、あるいは芸能人のように個人的な才能を切り売りする者は、資本家そのものではないけれど労働者のように完全に生産手段を奪われてはいない「小ブルジョアジー（プチブル）」として、マルクス主義では通常、労働者より一段低く見られます。そして、「プチブル」には学生も含まれるとする考

5　ポツダム自治会：第二次世界大戦後結成された全員参加型自治会。

え方が従来は一般的でした。武井の「層としての学生運動」論はこの「常識」をひっくり返したという点で重要だったわけですね。

佐藤　しかし共産党がこの理論を認めていたわけではありませんし、共産党は青年組織である「日本青年共産同盟」を一九四六年に結成したあとも、相変わらず学生のことをプチブルの動揺分子としか考えていませんでした。だから、それぞれの学内の自治にかかわる限られた規模の要求実現闘争や党が命じるような緩い闘争だけ行っていればいいとされて自主性は持たされなかったのです。この理論を唱えた武井自身も数年後、必然的に共産党を離れることになりました。

「歌ってマルクス、踊ってレーニン」への嫌悪感

池上　だからこそ全学連の学生たちの中から、共産党の中央の指導に不満を抱く層が現れ、その不満は武装闘争の方針を指導部が百八十度翻した五五年の六全協でピークに達したわけですね。

佐藤　やはり「層としての学生運動」論の影響もあって、知的エネルギーが活発な若者たちほど自分たちが先駆的な役割を果たしたいと考えていましたからね。前巻『真説』で『日本の夜と霧』という一九六〇年公開の映画を紹介しましたが、あの映画は大島渚《おおしまなぎさ》監督

以下、制作者たち自身が六全協に振り回された経験を持つだけにそのあたりの描き方が本当にリアルです。

特に、リンチなど自分たちの運動の負の部分の総括をするわけでもなく新指導部に命じられるがまま武装闘争を放棄し、その後は「歌ってマルクス、踊ってレーニン」を合い言葉に女子学生との親睦に励み始めた連中への嫌悪感。ああいった感情は、本気で革命に身を捧げていた若者ほど強く抱いたはずです。

池上 一九六四年に発表された柴田翔《しばたしょう》の小説『されど われらが日々――』(現在は文春文庫)も、まさに六全協前後に若者たちが経験した「共産党への幻滅」をテーマにした作品ですね。

一九五〇年代の東京大学の学生たちを主人公に据えた本作において、主人公たちは共産党の影響のもと武装闘争に参加するものの、六全協でそれらの活動が「極左冒険主義」とあっさり否定されてからは信じるものを失い、それぞれに虚しさを抱えながら生きています。ある者は党に裏切られたという挫折感を拭い去れないまま自殺し、ヒロインの女性も政治運動に関わった経験の影響で結婚生活に虚しさしか感じられずにいる……。当時の若者たちの心情がよく分かる作品です。

この小説が出た後、私自身は都立大泉高校に入学しましたが、作中に「都立O高校」という東京西部にあるという高校が登場するのを読んで、友達と「これはうちの高校のことじゃないか？」と盛り上がった記憶があります。

「ブント」の結成

池上　そして一九五八年一二月、共産党に不満を持つ全学連メンバーの一部が「共産主義者同盟」という別の組織を結成します。「同盟」はマルクスの母語であるドイツ語では「Bund」（ブント）であることから、通称は「ブント」になりました。

初期のブントにおいて理論的指導者となった姫岡玲治《ひめおかれいじ》6――姫岡は本名を青木昌彦《あおきまさひこ》という、学生運動から離れた後は米国に留学して主流派経済学に転身し、京大助教授やスタンフォード大学教授として勤めながら、比較制度分析という分野の研究で世界の第一人者になった人物――が著書『私の履歴書　人生越境ゲーム』（日本経済新聞出版社）で明かしている内容によれば、「ブント（同盟）」という略称で呼ばれる組織にしたのは〈共産党とは別個に革新的な運動をしようという意気込み以外には、具体的なそのイメージ＝「綱領」があるわけではなく、党を名乗るのはおこがましく思えた〉こと、また〈多分に暗い、閉鎖的なイメージをかもし出す「パルタイ＝党」より新鮮な感じがする〉という理由だったからのようです。

その姫岡以外に初期のブントでリーダーを務めた面々には、全学連の委員長を一九五六年から約二年間務めた香山健一《こうやまけんいち》（のち政治学者、元学習院大学法学部教授）や島成郎《しましげお》（のち精神科医）、数学者になる佐伯秀光（＝山口一理）、現在は政治評論家として著名な森田実《もりたみのる》らがいました。彼らより少し若い世代の同盟員として加わっていたのが、思想家の西部邁《にしべすすむ》や柄谷行人《からたにこうじん》、ジャズや映画の評論家として有名な平岡正明《ひらおかまさあき》らでした。

佐藤　ガチガチの中央集権体制を敷いた共産党に反発し党を離れた若者たちが結成しただけに、ブントは組織のあり方がルーズなことに特徴があり、姫岡自身が言っているように綱領なども敢えて作られませんでした。しかしそれゆえに幅広い支持を獲得し、設立時点で約三〇〇人だった同盟員は、一九五九年八月時点で約一四〇〇人、六〇年安保闘争時には約三〇〇〇人と勢力は急拡大していきました。

池上　ブントが勢力を拡大したことにより一九五九年六月の全学連新人事でブント同盟員の唐牛健太郎《かろうじけんたろう》[7]が全学連委員

姫岡玲治
（青木昌彦）

6　姫岡玲治（一九三八〜二〇一五）：経済学者・青木昌彦のペンネーム。東大在学中に姫岡の名前で「民主主義的言辞による資本主義への忠勤――国家独占資本主義段階における改良主義批判」を執筆。
7　唐牛健太郎（一九三七〜一九八四）：学生運動活動家。ブント結成に参加。一九五九年に全学連委員長に就任。

長に就任します。これ以降、全学連の主流派は共産党からブントに置き換わり、逆に共産党は非主流派に転落します。全学連はブントに率いられる形で六〇年安保闘争に参加します。

黒田寛一と太田竜の革共同

佐藤　そしてブントとはまた異なる新左翼の系統に、革共同を筆頭とした、社会党と結びつくことで台頭した党派の系統があります。

池上　五五年の六全協以後は武装闘争路線を放棄し「日和見的」に映っていた共産党に代わり、新たな共産主義政党が必要であるという強い問題意識を共通して抱えていたという点では革共同系もブント系も同じですが、革共同系の新左翼党派の場合、ブント以上に反スターリン主義の立場を強く打ち出していたことが特徴でしょうね。

だからこそ彼らは、ソ連共産党においてスターリンと対立し、最後は亡命先のメキシコで暗殺されたレフ・トロツキーを再評価してその革命理論に依拠し、自分たちは「トロツキスト」であると自負しました。

佐藤　彼らがトロツキーの革命理論に注目したのは、社会主義革命はあらゆる資本主義国で必然的に起きるものであり、真の革命はロシア革命を世界に波及させたときに初めて実現するという「世界革命論」をトロツキーが唱えていた点にあります。これに対してスターリンは世界革命を経なくても一国で社会主義革命は可能だとする「一国社会主義論」を唱えており、そのせいでトロツキーは追放されるのですが、マルクスやレーニンの著作を素直に読めば世界革命論のほうが正当であることは明らかです。トロツキーが結成した国際共産主義運動の組織「第四インターナショナル」はトロツキーの死後も一応は機能しており、日本からパリの本部宛に手紙を送ればちゃんと返事が来ました。

しかしスターリンの影響が強い時代、「トロツキスト」は各国の共産党にとって「裏切り者」の代名詞であり、戦前の日本共産党は労農派を「トロツキスト」とレッテル貼りしていました。戦後の共産党は新左翼を、トロツキーの影響がそれほど強いわけでもないブントまで一括りにして「トロツキスト」呼ばわりしています。

池上　それがフルシチョフのスターリン批判でスターリンの実像が暴かれて以降、世界の共産主義者たちがトロツキーに抱くイメージも大きく変わりました。トロツキーの場合、『文学と革命』などの文学論集も遺していて、スターリンよりもずっと知識人として幅があったことも当時の若者たちには魅力的だったのでしょうし、暗殺という悲劇的な最期を遂げたのも英雄的な神秘性を感じさせたのでしょうね。

そしてこの「反日本共産党・反スターリニズム」という問題意識を最初に実行に移した

のが、一九五二年頃からトロツキーの研究を行っていた、内田英世・富雄という群馬県の労働者の兄弟でした。彼らも元々は日本共産党の国際派に所属する党員でしたが、五〇年分裂での除名を経て、「反逆者」という新聞を刊行します。一九五七年一月に新左翼党派「日本トロツキスト聯盟・第四インターナショナル日本支部」（通称「四トロ」）を結成し、これが同年一二月に革共同に改名されるという流れです。

ただ、この日本トロツキスト聯盟および革共同には、日本左翼史において内田兄弟以上に重要な結成メンバーがいました。のちに革マル派の指導者になる黒田寛一《くろだかんいち》、そして革共同の社会党への「加入戦術」[8]を考案し、実行することになる太田竜《おおたりゅう》（のち太田龍に改名）という二人の青年です。

佐藤　黒田に関しては前巻でも何度か言及しましたね。彼は一九二七年に富裕な医師の家に生まれ理系エリートの養成学校である旧制東京高校に通い、ゆくゆくは医者か物理学者になるはずが、皮膚結核にかかって視力をほとんど失ってしまい、旧制高校中退を余儀なくされました。

中退後は独学によるマルクス主義研究に没頭し、一九五二年に最初の著作となる『ヘーゲルとマルクス――技術論と史的唯物論・序説』（理論社）を自費出版すると、ここで展開した理論が注目され、彼の家には太田竜ら同世代のマルクス主義者たちが集まるようになりました。

そうして黒田を中心に作られた「弁証法研究会」という名の小規模なサークルがやがて「探究」というガリ版刷りの雑誌を発行するようになり、そこからお互いの著作を通じて群馬の内田兄弟と知り合って革共同の結成に至るわけです。


池上　かたや太田竜は一九三〇年樺太生まれ。旧制中学の頃に共産主義者となり戦後に日本共産党に入党しますが、一九五三年に離党したあとに黒田と知り合いました。

太田は後年一九七〇年頃にはマルクス主義と決別し、その後はアイヌ解放運動や環境保護運動を経て晩年はユダヤ陰謀論に取り憑かれるなど凄まじい思想的変転をたどった人物なのですが、左翼史において太田の名が現在も重要とみなされるべき所以は、やはり先ほども述べた社会党への「加入戦術」を指揮したことにあります。

太田は革共同でも党派全体で日本社会党に加入し、党内部に自分たちのシンパを増やすことを提案しましたが黒田らから拒否され、自分の影響下にあった東京学芸大学と日比谷高校のグループを引き連れて脱退します。そして一九五八年八月に「トロツキスト同志

8　加入戦術：ある思想・信条を持つ少数派が、既存の大きな政党や政治団体に個人単位で加入し、その組織を内部から自分たちの意に沿う性質に変える戦術。

会」（トロ同）を結成します（革共同第一次分裂）。このトロ同が全組織を挙げて、日本社会党の地区組織に「加入戦術」を行いました。

佐藤　共産党と比べて統制の緩かった社会党はこの「加入戦術」の標的になっていることを半ば知りながらも静観し、その結果として社会党には多種多様な革命家が集まることになりました。やがて迎える六〇年安保の闘争では、ブントの同盟員たちと並んで、社会党の党員たちも闘争の実働部隊として働くことになります。

池上　六〇年安保闘争では、共産党が国会の議席を失っていたがゆえに国会では社会党の議員たちが中心となり、論戦と体を張った座り込み行動で安保条約批准阻止を試みました。一方でデモなど街頭での活動では新左翼の活動家たちが主役でしたが、社会党の左派と新左翼は一般に考えられている以上に親和性が高く、両者の関係も密接だった、というのが前巻の重要な論点でしたね。

佐藤　ええ。社会党は非暴力を掲げているので新左翼と相容れない部分も当然あったのですが、日本の資本主義に対する見方や、ソ連の現状など重要な世界情勢についての両者の認識はほとんど一致していました。

話を整理すると、日本の左翼には共産党と社会党、そして彼らよりも遅れて登場してきた新左翼という三つの大きな流れがあり、そしてこの三者のうち社会党の左派と新左翼の親和性が非常に高かったことは、日本の左翼運動のひとつの特徴をなしています。

そしてこの不思議な結びつきがなぜ生まれたかといえば、それは社会党と新左翼がともに共産党に対する強い不信感を抱いており、「日共（日本共産党）にはもはや革命を任せられない」と考えていたことにあるのです。

池上　新左翼の原点としてのブント・革共同の経緯を共産党・社会党と絡めながら理解しておくと、六〇年代の怒濤のような左翼史を考える上での見取り図になるでしょう。

「六〇年代左翼史」の幕開け

池上　最後に新左翼の分裂と統合の歴史を見ておきましょうか（14〜15ページ参照）。これでも最低限に絞っていて、本当はもっと複雑なのですが。

佐藤　あらかじめ言っておくと、新左翼の離合集散に関する細かい経緯を理解する必要は全くありません。瑣末な議論になってしまうし、特に意味のない分裂もたくさんあります。本書で重要になる「中核」「革マル」や「赤軍」といったセクト（分派）がどのような流れで生まれたのか、大まかに摑んでおけば十分です。

池上　本当にそうですね。この図を見るだけでも、新左翼が分裂を繰り返して自滅していく姿がイメージできるのではないでしょうか。私と世代の近い読者であれば、それぞれのセクトをヘルメットの色で区別していたことを思い出されるかもしれません。
それでは本論に入っていきましょう。第一章では、前巻でも触れた六〇年安保を起点にして、六〇年代前半の社会党・共産党の対立状況を見ていきます。
高度経済成長期に入り、日本は少しずつ敗戦から立ち直り豊かになっていきますが、この頃からベトナム戦争や相次ぐ核実験に対する反戦・反米の世論が高まります。こうした国際情勢のなかで、両党は指針や戦略の相違から対立が激化します。

佐藤　この時期の左派の議論は知的水準が高く、現在の日本にも通じる論点がたくさん出てきています。当時の両党の綱領を丁寧に分析しながら「左翼の論点」を抽出していきたいと思います。

池上　第二章・第三章では、一九六八年前後に盛り上がった学生運動を見ていきます。学生運動については、若い読者でも安田講堂で学生と機動隊がぶつかる東大闘争の映像を見たことがあるのではないでしょうか。学生運動はまさに左翼史を象徴する出来事でした。
また、新左翼に対する社会党・共産党の姿勢の違いが学生運動でも顕著に表れます。そして学生運動の後に社会党の支持率が低下していきます。左派が最も盛り上がり、そして急速に衰えていった背景を考えていきます。

佐藤　特に第三章では、学生運動の背景にある思想に着目します。ブント・革共同から中核・革マルまで、当時の声明などを読みながら新左翼の内在的論理を考えます。
なぜ、過去の遺物と化した新左翼の思想を今読むのか。それは、**自分の命を投げ打ち、時には他人を殺すことも正当化した思想の力というものを、現代に生きる読者に反省的に学んで欲しい**からです。危機の時代には必ず激しい思想が現れます。こういう過去があったということを知るだけで、危険な思想への免疫ができるはずです。

池上 第三章では、大学生の時の私から見た学生運動についても語ります。私自身、セクトからオルグされかかったことがありますし、凄惨な内ゲバの現場も見てきましたから。

佐藤 そして最後に第四章で、過激化した新左翼がテロリズムに走るまでの顚末をまとめたいと思います。あさま山荘事件、よど号ハイジャック事件など、過激派が立て続けに事件を起こしました。なぜ彼らは過激化の道をとってしまったのかを考えます。

池上 最後までお読みいただけると、**私たちが学ぶべき左翼の「失敗の本質」が見えてくる**でしょう。崇高な理想から始まったのに、次第に暴力に覆われ、分裂を繰り返すうちに暴走して自滅する――。左翼がたどった歴史を反復することがないように、現代の教訓につなげていけたらと思います。

佐藤 それでは、一九六〇年に時計の針を戻して、左翼史が最も盛り上がった一九六〇年代の話を始めていきましょう。

第一章

六〇年安保と社会党・共産党の対立

（一九六〇〜一九六五年）

暴力革命か、平和革命か。米・ソといかに向き合うか。
敗戦後の日本が進むべき道をめぐり、左派の対立は激化する。

《第一章に関する年表》

一九六〇年	六月四日	安保改定阻止第一次スト、五六〇万人参加。
	六月一〇日	米大統領報道官、羽田でデモ隊に包囲される（ハガチー事件）。
	六月一五日	安保改定阻止第二次スト、全学連主流派国会に突入。
	六月一六日	岸信介内閣、アイゼンハワー大統領訪日延期を要請。
	六月一八日	安保阻止第一八次統一行動、徹夜で国会包囲。
	六月一九日	新安保条約自然承認。
	六月二三日	新安保条約批准書交換、発効。岸首相、退陣表明。
	七月一四日	自民党大会混乱、池田勇人を総裁に選出。
一九六一年	三月六日	社会党大会。構造改革方針を決め、委員長に河上丈太郎を選出。
	四月一九日	ライシャワー米駐日大使着任。
	七月二五日	共産党第八回大会。反米帝・反独占、新しい人民の民主主義革命を基本路線とする新綱領（六一年綱領）を採択。
一九六三年	八月一四日	日本、部分的核実験禁止条約に調印。
	一一月一〇日	共産党、「アカハタ」で中ソ論争に対して自主独立の態度

		をとると発表。
	一一月二一日	第三〇回衆議院議員総選挙（自民二八三、社会一四四、民社二三、共産五）。
一九六四年	四月八日	共産党、四月一七日に予定された公労協ストは挑発の陰謀であると反対を声明。各労組で方針論争起こる。
	五月二一日	共産党、部分的核実験禁止条約に賛成投票をした志賀義雄・鈴木市蔵を除名。
	七月一九日	共産党、四月一七日スト反対声明は誤りと自己批判。
	八月一〇日	社会党・共産党・総評など、ベトナム戦争反対集会開催。
	一〇月一〇日	東京オリンピック開幕。
	一〇月一七日	鈴木善幸官房長官、中国の核実験に抗議の談話発表。社会・民社・公明・総評も反対を表明。宮本顕治共産党書記長、中国の核実験は自衛手段とする見解を表明。
	一一月九日	池田内閣総辞職、第一次佐藤栄作内閣成立。
一九六五年	六月二二日	日韓基本条約・関係四協定調印。社会党・総評・全学連など抗議集会。

安保闘争までの流れ

池上　さて、この章からいよいよ一九六〇年以降の左翼史を論じていくことになりますが、六〇年の安保闘争については新左翼が台頭する起点となった出来事でもあり、この闘争が何だったのかをあらためて考えておく必要がありますね。

まず、日米安保闘争の一連の経緯を年表的に整理しましょう。アメリカ軍の日本への駐留などを定めた旧日米安全保障条約は、一九五一年に日本が米国との間でサンフランシスコ講和条約を締結し独立を果たした際に同時に署名（翌五二年発効）し、岸信介《きしのぶすけ》内閣は一九五八年頃からこれを改定するための交渉を行っていました。

前巻でも少し触れましたが、旧安保条約は米軍の日本駐留を認める一方でアメリカが日本を守る義務があるとは規定されていなかったほか、日本国内で暴動が起きた際には米軍が出動することも可能な条文になっていました。岸としては新しい安保条約をアメリカとの間で結び直すことで、旧条約の不公平な部分を正したかったのは間違いないと思われます。

両国間の下交渉は一九五九年末までにおおよそまとまり、日本側は一九六〇年一月一六日に岸信介首相を筆頭とする「日米新安保条約調印全権団」を米国に派遣します。ドワイト・D・アイゼンハワー（通称アイク）大統領との会談では、新安保条約を調印するとともに、アイクが六月一九日に訪日することにも合意します。

しかし岸らが帰国し、条約承認のための国会審議が始まると大いに紛糾しました。当時の国会で三分の一にあたる約一六〇の議席を占めていた日本社会党が、安保改定は米軍の恒久的な日本駐留を許すのみならず、台湾や朝鮮半島での戦争に日本が巻き込まれるリスクを高めると猛反対したからです。

この主張に共産党――この時は国会での議席がほぼありませんでしたが――や全学連なども賛同し、当時の日本の左派が一致団結する形で「安保改定阻止国民会議」が結成されました。

佐藤 ただし社会党でも最右派の西尾末広《にしおすえひろ》らのグループは、反共産主義という観点から新安保条約に賛成していました。そのため彼らは一月二四日に社会党から離党し、西尾を初代委員長とする新党「民主社会党（民社党）」を結成します。

「強行採決」が闘争の引き金に

池上 ところで六〇年安保といえば、主催者発表で約三三万人、警視庁発表で約一三万人というどちらにしても膨大な人数のデモ隊が国会議事堂周辺を取り巻いているあの六月一五日の光景が有名ですし、まるで最初から盛り上がっていたかのようなイメージが今では持たれているかもしれませんが、実は最初からそうだったわけではありません。

安保闘争の初期、つまり一九六〇年の前半までは、社会党や総評が安保反対を呼びかける集会を開いても大衆の反応が芳しくなく、思うように人が集まらなかった時期がありました。

ところが岸が安保条約批准を急ぐあまり、衆議院での可決をきわめて強引な手段で行った結果、その雰囲気が一変しました。

国会で行う予算の議決や条約の承認に関しては、衆議院の議決から三〇日以内に参議院で議決されない場合は衆議院の議決のみをもって決する「自然成立」の規定があります。つまりアイゼンハワー（アイク）訪日予定日（六月一九日）の一ヵ月前となる五月一九日までに衆議院日米安全保障条約等特別委員会で新条約承認案を可決してしまえば、その後は参議院での採決に関係なく条約を自然成立させることができた。そして社会党の強烈な抵抗ぶりを見てこのままではアイク訪日の日程に間に合わなくなると危惧していた岸は、どんな手段を用いようとも衆議院の採決だけは終わらせて自然成立に持ち込む戦術に賭けたわけです。

そして五月一九日の衆院安保特別委員会では、採決阻止のために委員会室前に座り込む社会党議員たちを排除するため、自民党議員たちは右翼団体や暴力団に所属する屈強な男たちを公設秘書にして動員し、さらに国会の中に警官隊まで呼び込んで社会党議員を一人ひとりゴボウ抜きに追い出して採決を強行しました。さらに同じ日の深夜に衆議院本会議の採決も強行され、法案は衆議院を通過しました。

ところがこの強行採決こそが、「このままでは日本の民主主義が再び失われるかもしれない」という危機感を多くの国民に抱かせることになります。この日をきっかけに日本全国から労働者や学生がやってきては抗議のために国会を取り巻くようになりました。六月四日に総評などが開催したストには、五六〇万人もの人が参加したと言われています。

ですから安保闘争にリアルタイムで参加した圧倒的多数の市民の心情としては、安保条約の中身以前に、「熟議を尽くす」という民主主義の基本を岸政権が軽んじ、「数の力」だけでなく、暴力的な手段まで神聖な国会に導入したことが許せないという思いが相当に強かったはずなのです。

佐藤　大衆政治運動としての安保闘争には「反・岸信介政権闘争」という意味合いが濃かったわけですね。実は安保条約そのものの中身に反対していた社会党にしても、それとはまた別の意味で安保闘争を「反・岸」の闘争と捉えていました。それについては後で詳しく述べます。

「ZENGAKUREN」が国際語に

池上　そして六月一〇日にはアイゼンハワー大統領の報道官であるジェイムズ・ハガチーが、大統領の訪日時の日程について日本政府と事前協議するために来日するのですが、ここでハガチー来日を知った全学連の学生たちが抗議のために羽田空港に押し寄せて彼を包囲し、身動きが取れなくなったハガチーが米海兵隊のヘリコプターで救出されるという事件が起きました。

この「ハガチー事件」もあってアイク訪日は結局中止に追い込まれ、さらに全学連の学生たちがハガチーを取り囲んでいる写真が世界中に報道されたことで「ZENGAKUREN」は一気に国際的な存在になりました。

近年は「過労死（KAROSHI）」などの単語も訳さずにそのまま外国で通用する日本語になっていますが、「ZENGAKUREN」はそうなった初めての日本語だったのではないでしょうか。

ただ面白いのは、安保闘争全体でもハイライトのひとつと言えるこの「ハガチー事件」を起こした学生たちは、全学連メンバーといっても当時の主流派ではなく反主流派、つまり共産党系だったことです。

佐藤　序章でも触れたように、その頃までに共産党は全学連の主導権争いでブントに敗れていましたからね。

池上　だから安保闘争全体を通じて、共産党が注目されたのは実はこの時くらいなのですよね。そもそも当時の共産党は「歌ってマルクス、踊ってレーニン」のキャッチフレーズのもと、実力闘争をとにかく厳しく戒めていましたから、羽田に押しかけた共産党系の全学連メンバーも実は本当に抗議に押しかけただけで、それ以上の実力行使はするつもりがなかったと言われています。

ところが抗議に押しかけた人数があまりに多く、加えてハガチーが降り立った場所は羽田空港といっても昔の羽田空港でしたのでかなり狭かった。その結果としてハガチーが身動きできない状況になってしまった、ということのようです。

そういう意味でも、六〇年安保闘争において最も急進的な活動を担ったのはやはりブントでした。ハガチー事件から五日後の六月一五日、全学連の呼びかけにより国会前には数万のデモ隊が集まり、その隊のうち一部が、行進の途中で国会南口通用門から国会構内への突入を開始しました。

門塀を壊して突入しようとする全学連を阻止しようと機動隊は放水車で応戦し、全学連も警察のトラックに放火するなどグチャグチャの揉み合いとなりました。そして暴力団や右翼団体の構成員たちはこの衝突にも動員されており、彼らによるデモ隊襲撃もあったとされます。

そうした中で、ブントの書記局員だった当時二二歳の東京大学学生・樺美智子《かんばみちこ》さんが「圧死」しました。樺さんの死亡が確認され、デモ隊の間に彼女の訃報が流れると、怒りに駆られた学生たちは警察車両への放火を行うなどして衝突はさらに激化し、最終的にこの日の逮捕者は約二〇〇人。負傷者は学生側四〇〇人、警察側も三〇〇人に上ったと言われます。

しかしこれらの激しい闘争にもかかわらず、新安保条約は参議院での採決が行われないまま六月一九日午前〇時に自然承認されました。四日後、六月二三日に安保条約の批准書が交換されたのを見届けた岸内閣は、混乱の責任を取る形で総辞職を表明しました。

六〇年安保は「反岸闘争」か「反米闘争」か

佐藤　六〇年安保闘争の経緯はいま池上さんが話してくださった通りですが、この闘争がどういう意味を持つかについては、実は参加した党派によってかなり捉え方が違っていました。ある党派は先ほども言ったように「反岸政権」闘争であると捉えていたのに対して、別の党派は「反米闘争」と位置づけていたからです。
そのうち日本共産党が安保闘争をどう捉えていたかについては、彼らの「八十年党史」

（『日本共産党の八十年』）に非常に象徴的な記述があります。

〈党は、安保条約改定にこめた日米の支配勢力のねらいをあきらかにして、安保共闘にも、アメリカ大使館への抗議デモを提起しました。この方針を社会党はうけいれず、ニセ「左翼」暴力集団は「反岸闘争を反米闘争にそらすな」などと反対しました。〉（148頁）

この一文は、六〇年代の日本共産党を考える上で非常に重要な一文です。

池上　つまり**安保闘争に関して、共産党はあくまでも反米闘争という位置づけをしていた**ということですね。

佐藤　そうです。ですから共産党から見ると新安保条約はあくまでアメリカが主体となって属国である日本に押し付けようとしている条約であり、岸信介政権は単に米国の傀儡《かいらい》として米国に命じられるままにその作業をこなしているに過ぎなかった。

しかしそれに対して**社会党、そして新左翼は、安保改定は米国の思惑どうこう以前に当時の日本政府である岸政権自体の問題だと考えていました。**

新左翼側の安保闘争観は、序章でも言及した姫岡玲治が「全学連情宣部名義」で一九五九年七月に執筆した小冊子「安保斗争」を読むと非常によくわかります。ここで姫岡は、安保闘争を反米闘争と捉える旧来型左翼の見方に異議を唱えているのです。

〈安保改定をどうとらえるか、ということは同時に、改定反対闘争をどうくむかの問題に直接結びつく問題である。だから、とらえ方で基本的対立があったら、闘い方も大きくちがってくるのは当然だった。

つまり安保改定は「アメリカ政府が強引におしすすめている」ものであり、「日本民族の対米従属を強化するもの」であり「アメリカの戦争政策に一層強くまきこむものだ」ととらえる見方と、今一つは、「岸政府がねらう安保改定」は「日本独占資本の利益」（六月十日東京地評）のためのものだ、という二つの対立である。

第一の見方からすれば、敵は何よりもまずアメリカであり、安保阻止斗争は「民族独立のたたかい」としてすべての「愛国人士」（その中には良心的資本家も入る）を結集した巾広い運動としてすすめなければならない。

スローガンは、例えばこうだ。「かえれアメリカ、かえせ沖縄」「すべての愛国・民主勢力の統一と団結！」

だが第二の見方からすれば何といっても敵は岸であり、日本の資本家階級であり、その斗いは資本家階級に打撃を加える「階級的斗い」として労働者階級を主力とし、そのまわりに人民諸勢力を結集してすすめていかねばならない。スローガンでいえば、「核武装と侵略戦争に道をひらく安保改定反対」「労働者のゼネストで改定を阻止せよ！」「岸内閣を打倒せよ！」だ。〉

池上　安保条約の改定にしてもアメリカに命じられて嫌々やっているわけではなく、日本の保守政権と日本の財界が結託し、自分たちの得になると値踏みした上で彼らの意思によって強行しようとしているのだと考えたわけですね。

佐藤　そうです。社会党や新左翼がそう考えたのは、**日本の資本主義が復活を遂げた一九六〇年代という時代にあって、かつてアジアを侵略した日本帝国主義もまた甦りつつあるという認識を強く持っていた**からでした。そうであればこそ、彼らは戦争を経験した国民として、自分たちには日本の再度の帝国主義化を阻止する責任があると強く自覚していたのです。

愛国主義化する共産党と「六一年綱領」

佐藤　戦後の日本はアメリカの属国であり、日本政府はアメリカの傀儡政権に過ぎないのだとする「対米従属論」は、六〇年安保以降の日本共産党の思想と行動を特徴づけています。そして彼らのこの日本観・アメリカ観は、一九六一年の日本共産党綱領で初めて体系化されたものでした。

この綱領において共産党は、アメリカという存在を、あたかも戦前の天皇制と置き換わったかのように位置づけています。

〈戦前の絶対主義的天皇制は、侵略戦争に敗北した結果、大きな打撃をうけた。しかし、アメリカ帝国主義は、日本の支配体制を再編するなかで、天皇の地位を法制的にはブルジョア君主制の一種とした。天皇は、アメリカ帝国主義と日本独占資本の政治的思想的支配と軍国主義復活の道具となっている。〉

〈日本独占資本主義は、アメリカ帝国主義の支配するあたらしい条件のもとで再編・強化され、おくれた零細農経営や中小企業をひろくのこしながら、アメリカの資本と技術をうけいれ、巨額の国家資金を略奪し、「設備投資」「技術革新」「合理化」をおこない、対米従属的な国家独占資本主義としての特徴をつよめつつある。〉

アメリカをこう位置づけることで、日本人民が最優先して取り組むべきは社会主義革命よりも何よりもまず日本からアメリカを追い出すことである、という理論立てをしたわけです。

池上　日本共産党が戦前に唱えていた二段階革命論では、まず天皇制を打倒する民主主義革命が必要で、それを成し遂げた後に社会主義革命を起こすのだというロジックでしたが、戦後は最初に倒すべき相手がアメリカに代わったような格好ですね。

佐藤　そうです。そして**「アメリカを追い出す」ことこそが彼らの二段階革命の第一段階にあたる民主主義革命であると定義したゆえに、共産党はこの時期以降、急速にナショナリズムに舵を切ることになります。**

池上　六〇年代の共産党は今から考えるとちょっと不思議なくらい愛国主義的というか民族主義的でしたからね。六七〜六八年頃ともなると、共産党の選挙ポスターにはしょっちゅう富士山の絵が描かれていました。たとえば、富士山東麓にある東富士演習場で自衛隊が軍事演習している写真を掲載して、「日本人の心の故郷である富士山を人殺しの訓練の場に使わせていいのか？」と訴えるようなメッセージの発信の仕方をしていました。

最近でもＴＰＰ（環太平洋パートナーシップ）協定に対して、アメリカに一方的に好都合な貿易協定だという理由で参加に反対していた頃の共産党のポスターはまさにそういう感じでしたね。「ストップＴＰＰ　●農業●医療●雇用●食の安全　この国を愛する党です　日本共産党」というキャッチフレーズが大きな富士山の写真を背景に強調されていた。

佐藤　そうしたイメージ戦略の源流はすべてこの「六一年綱領」にあります。

「敵の出方」論をめぐる志位和夫の嘘

佐藤　そして六一年綱領は、共産党の「敵の出方論」がこの綱領と同時に採用されたという点でもきわめて重要です。

池上　「敵の出方論」は共産党が革命に関して長いあいだ保持してきた方針ですね。最近、弁護士の八代英輝《やしろひでき》氏がテレビ番組で「共産党は暴力革命を廃止していない」と発言し、共産党が猛抗議するという出来事がありましたが、その際にも「敵の出方論」が話題になりました。

佐藤　山村工作隊や中核自衛隊による武力闘争が一般世論から厳しく批判され、一九五二年の第二五回衆議院議員総選挙で公認候補が全員落選するなど党存続の危機に陥った共産党は、〈日本の解放と民主的変革を、平和の手段によって達成しうると考えるのはまちがいである〉とした五一年綱領方針を撤回し、その代わりに「革命の形態が平和的になるか非平和的になるかは、敵の出方による」という方針を、綱領に書き込みはしなかったものの党の戦略として採用しました。

共産党がこの方針を掲げたのをきっかけとして、革命は暴力によらなければ不可能だと信じる者たちは共産党に見切りをつけ新左翼党派を結成しました。一方でこの「敵の出方論」は、武装闘争を唯一とする戦術を放棄しただけであって武力革命に踏み切る可能性を放棄したわけではないという批判も長年つきまとってきました。

一方で共産党は、「敵の出方論」に関するそうした批判は誤りであると主張し、二〇二一年九月八日には志位《しい》和夫《かずお》委員長が党の中央委員会総会で、「敵の出方論」という表現は「ねじ曲げた悪宣伝に使われる」のでもう使用しないとの方針を表明しています。二〇二一年八月六日付「しんぶん赤旗」電子版にもその発言内容が詳しく紹介されています。

〈(二〇二〇年二月一三日の衆議院本会議で)安倍前首相は、日本共産党がかつて「暴力主義的破壊活動を行った疑いがある」と答弁しました。しかしこれは事実にまったく反します。一九五〇年代に、当時のソ連、中国による干渉によって党中央委員会が解体され、党が分裂した時期に、分裂した一方の側に誤った方針・行動がありましたが、これは党が統一を回復したさいに明確に批判され、きっぱりと否定された問題であります。日本共産党は、「暴力主義的破壊活動」の方針なるものを、党の正規の方針として持ったり、実行したりしたことは、ただの一度もありません。これは私たちが繰り返し明確にのべてきたことです。

さらに、安倍前首相は、「現在においても敵の出方論にたった暴力革命の方針に変更はない」と答弁しました。いったい私たちの綱領のどこを読んでいるのか。日本共産党は、社会変革の道すじにかかわって、過去の一時期に「敵の出方」論という説明をしてきましたが、その内容は、(一)選挙で多数の支持を得て誕生した民主的政権に対して、反動勢力があれこれの不法な暴挙に出たさいには、国民とともに秩序維持のために必要な合法的措置をとる。(二)民主的政権ができる以前に反動勢力が民主主義を暴力的に破壊しようとした場合には、広範な国民世論を結集してこれを許さないというものです。それは、どんな場合でも、平和的・合法的に、社会変革の事業を進めるという日本共産党の一貫した立場を説明したものにほかなりません。これをもって「暴力革命」の「根拠」にするなどということは、まったく成り立つものではありません。

なお、「敵の出方」という表現だけをとらえて、日本共産党が、あたかも平和的方針と非平和的方針という二つの方針をもっていて、相手の出方によっては非平和的方針をとるかのような、ねじ曲げた悪宣伝に使われるということで、この表現は、二〇〇四年の綱領改定後は使わないことにしています。

民主的政権を樹立する過程でも、樹立したのちも、一貫して平和的・合法的に社会変革を進めるというのが、日本共産党の確固たる立場であります。(拍手)〉

志位氏のこの説明は、はっきり言いますが嘘です。「敵の出方論」という言葉を用いていた時代の共産党は、社会変革を平和的手段以外でも強行する意思・戦略を明確に示していました。

たとえば宮本顕治は一九五八年の第七回党大会で、「綱領問題についての中央委員会の報告」を行い、ここで五一年綱領が定めていた暴力革命不可避論が「みずからの手をしばる態度」で「あやまり」と否定していますが、その一方で「平和革命必然論の立場」もまた「とるべきではない」と明言しています。その上で、「革命が平和的か非平和的かは結局敵の出方によるというのはマルクス・レーニン主義の革命論の重要原則である」と述べているのです。

宮本がこの主張を明記している『日本革命の展望――綱領問題報告論文集』は、版元である日本共産党中央委員会出版部が絶版にしているため現在は古本屋でしか入手できませんが、共産党系の新日本出版社から出ている『宮本顕治著作集』には収録されていて読むことができます。

さらに現在も日本共産党常任幹部会委員を務める党幹部であるとともに、党付属の「社会科学研究所」所長として共産党のイデオロギー策定に最大の影響力を有する不破哲三《ふわてつぞう》も同じ趣旨のことを書いています。不破は、一九六八年の著書『現代政治と科学的社会主義』(新日本出版社)において、日本社会党が「敵の出方論」を批判した同党の綱領的文書「日本における社会主義への道」(後述)に反論する形で、日本社会党の平和革命路線についても批判しているのです。

〈『社会主義への道』は、「敵の出方」におうじて平和的移行と非平和的移行の二つの形態を考慮することは、「主体的な選択を放棄」するもので、今日では、革命勢力が「平和革命」の道を意識的に選択することによって、「敵の出方」をも規制できる、つまり、敵の暴力行使を封殺できるのだなどといっているが、これは、事態を逆だちさせた詭弁にすぎない。もし、革命勢力の暴力行使の危険を軽視し、「平和革命」の可能性だけにその関心をむけているとすれば、あれこれの政治的危機にさいして暴力をもって人民を抑圧しようとする反動勢力のくわだてが、いっそう容易なものとなることは、当然の道理である。〉

(253頁)

池上 この論文を読んで不破氏が「革命勢力の暴力行使」を容認していないと判断するのは難しいですね。

佐藤　ここで展開されている「敵の出方論」は、志位氏が言うような、「選挙で多数の支持を得て誕生した民主的政権に対して、反動勢力があれこれの不法な暴挙に出たさいには、国民とともに秩序維持のために必要な合法的措置をとる。民主的政権ができる以前に反動勢力が民主主義を暴力的に破壊しようとした場合には、広範な国民世論を結集してこれを許さない」というものとは全く別のものです。しかし共産党も不破氏自身も、『現代政治と科学的社会主義』での主張を今に至るまで撤回していません。

ですから、日本共産党が本当に現在は暴力革命を志向していないと証明したいのであれば、宮本・不破の両指導者が過去「敵の出方論」に関して行った発言内容を撤回する以外にありません。「かつて我が党は非平和的革命を否定していなかったが、今や多数者革命によって議会だけを通じて絶対に力に訴えない党に生まれ変わった。たとえ権力者の側が力に訴えようとも非暴力を貫く方針に転換したのだ」と堂々と宣言すればいいのです。

池上　なるほど。それならば整合性があります。

佐藤　ところが共産党の言い草は「自分たちはずっと前から暴力革命や非平和的手段とは無縁だった」というあまりに白々しいもので、志位委員長に至っては、非平和的方針など持ったこともないなどという、明らかに過去の事実と矛盾したことを言い始めています。

念のため申し上げておきますが、私だって「現下の共産党が暴力革命を準備している」

などと言いたいわけではありません。私が問題にしているのは、この党の、こうした矛盾や詭弁を平気で口にできてしまう体質の部分なのです。

こういう体質の組織はある日状況が一変して、トップが「やはり武装だ」と方向転換すればあっさり武装するんですよ。任俠団体と一緒で、黒いものでも親分が白だといえば今日からは白になるからです。この点が共産党の原則である民主集中制の特徴であり、私が共産党を「普通の党ではない」という一番の理由です。

池上　そう考えると、志位委員長の「敵の出方論という言い方をすることで敵に付け込まれる」という言い方もちょっと引っかかるものを感じますね。

佐藤　謝罪するときに「誤解を招いたとすれば申し訳なかった」という言い方がありますが、これは「誤解したお前が悪い」と言いたいのです。志位氏はそれと同じで、「そういう解釈をする連中のほうが悪い」と言っている。自分たちの過去を真摯に反省していないからこういうことを言うのです。「無謬でなければならない」という組織の持つ危うさを強く感じます。

あとついでに指摘しておくと、現在の日本共産党のウェブサイトで「綱領」と検索して表示されるのは六一年綱領だけであって、五〇年分裂時に採用された「五一年綱領」が出てくることはありません。もっとも一九六二年に日本共産党中央委員会出版部が刊行した

『日本共産党綱領集』に六一年綱領とともに五一年綱領が収録されています。それが一九七〇年に、同出版局が刊行した『日本共産党綱領問題文献集』以降は五一年綱領が削除されています。

つまり五一年綱領は一部の分派が勝手に作ったものだという基本認識のもと歴史から抹消し、党員たちが先人たちの過去の行為についての検証も反省さえもできない状態にしてしまっているわけです。

「革命政党」としての社会党の「道」

佐藤　この六一年綱領を日本共産党が一九六一年にまとめたのに対して、社会党は——今では忘れられた存在になっていますが——一九六四年に「日本における社会主義への道」という綱領的文書を採択しています。

池上　先ほど不破氏の論文でも槍玉に上がっていた文書ですね。たしか社会党の内部では「道」という略称で呼ばれていました。

佐藤　ええ。それまでの社会党は、綱領を採択してそれにより活動を規定するということがほとんどありませんでした。五五年の左右の合同のときには一応の綱領が採択されたものの、これは左右両派の主張を無理やり合体させた折衷的なものであって、特に左派から見ると不満の多いものでした。

しかしこの「道」は民社党を切り離した直後の、左派の影響力が最大に強まった時期に採択されたものであるがゆえに、社会党が革命政党であることを明確に規定するとともに社会主義革命が「必然」であるとまで謳う内容になりました。

「道」は次のような文章から始まります。少し読んでみましょう。

〈一九一七年のソ連の社会主義革命によって、世界の歴史上にはじめて社会主義国家が樹立されたが、それいらい四十数カ年を経た今日においては、東欧、中国、蒙古、朝鮮、北ヴェトナムを加えて、十三カ国、世界人口の三五%が社会主義体制を確立するに至った。

(中略)

このような世界の中で、資本主義諸国は、国内体制強化と共に、各種の軍事的、経済的国際連帯を作り上げ、その体制維持のために狂奔しているが、国内的には、幾多の基本的矛盾を累積拡大する過程で、反独占に結集した労働者階級を中核とし労農提携を中心とする勤労諸階層の抵抗と体制変革を求める根強い闘争によって、その足もとを堀〔ママ〕りくずされ、対外的には、社会主義諸国の平和的競争の圧力、新興諸国家を中心とする反帝国主義、反植民地主義の闘争、更には資本主義諸国家間の利害対立によって、その国際的地位は著しく低下し、今や資本主義体制は、世界史的に見てその歴史的使命を終り、社会主義体制にその席を譲らざるを得ない段階にきているということである。〉

〈史上かつてないほどの急速な発展をとげた日本の国家独占資本主義は、同時に資本主義の基本的矛盾が最高度に発展している独占資本主義であって、この意味で国家独占資本主義は資本主義最後の段階であり、社会主義の前夜であるということができる。〉

つまり資本主義体制はその性質上、必ず社会主義体制に道を譲らないといけないものであり、また日本の資本主義は国家独占資本主義、すなわち独占資本が国家と癒着した、マルクス主義において資本主義の究極的な姿と考えられている段階であるがゆえに迂回することなく、ただちに社会主義に向かうとしたわけです。

そして「福祉国家」について厳しい批判を行っている点も「道」の特徴のひとつです。福祉国家なるものは、〈国民の選択を社会主義におもむかせないために、社会保障や所得配分等の部分的改善を通じて一定の譲歩を行ない、社会的緊張を緩和しながらなおも国民の同意を資本主義体制の枠の中に留めておくための、資本の延命策に外ならない〉として、〈現代資本主義がその体制を維持していくための安全装置でもある〉と切り捨てたのです。

日本の社会保障制度が西欧先進諸国に比べてずっと遅れていて、改善しなければいけないことは認めた上で、だからといって単なる部分的譲歩を勝ち取るために、〈基本的な生産関係における労働者の民主的要求を眠らせたり、勤労諸階層の革命的エネルギーを後退させたりすることのないようにしなければならない〉〈資本主義の下では真の意味での福祉国家は実現されないことを明らかにし、さらに革命を通じていわゆる福祉国家の限界を突破した社会主義にむかって前進しなければならない〉というのが社会党の主張でした。

池上 すごいですね。このあたりの記述はまさに革命政党という感じがします。

佐藤 「道」のさらに重要な点は、人間が人間を、民族が民族を搾取する状態をなくし、戦争の絶滅と人間疎外の最終的な解消を目指す社会主義を実現する上で、労働者階級による支配が行われなくてはいけないのは「当然のことである」としながらも、ソ連や中国が行ったような武力革命を伴う「プロレタリア独裁」は日本に必要ないとした点でした。

この綱領的文書を得たことで、社会党はその後「議会主義平和革命」の路線をさらに明確にし、ソ連型とも中国型とも異なるタイプの革命を模索していくことになります。その意味で、一九六四年という年は社会党にとって非常に重要な年だったと言えます。

新左翼は「リアリズムを欠いたロマン主義」

佐藤　ただここで気づいた読者もいるかもしれませんが、「道」には反スターリン主義の視点がまったくないという特徴もあります。

池上　六四年といえばすでに新左翼が反スターリニズムに基づく問題提起を盛んにし始めていた頃でしたが、社会党はスターリン的か反スターリン的かという問題はひとまず後回しにして、あくまで資本主義と社会主義の二項対立において社会主義体制こそが正しい、という一点で押し切ろうとしていたわけですね。あるいはそれは、前巻で佐藤さんが触れた、社会党の平和革命論にもかかわる問題なのかもしれませんが。

佐藤　そうです。**共産党は暴力革命に踏み切るかどうかは相手の出方しだいで変わる「敵の出方論」だったのに対して、社会党の理論面を一手に引き受けていた社会主義協会は平和革命絶対主義でした。**

　ただ社会主義協会の平和革命論は空理空論でもユートピア主義でもありませんでした。この実体について社会主義協会は僅かに「ソ連を中心とする平和愛好勢力の力」と説明してはいるのですが、要するに東西冷戦下におけるソ連の軍事力を後ろ盾にして、権力側にとってはもっとももたちの悪い「外患誘致[9]」を実行することで革命を成し遂げようとしていたわけです。

　だから向坂逸郎は日本が社会主義化した場合は、軍隊をもって、社会主義共同体の防衛義務に加わるとも明言していました。

池上　日本が「東側」の一員としてワルシャワ条約機構に参加するというわけですね。

佐藤　そう。それに対して**新左翼は、権力は暴力から生じるのだから暴力によらない革命などありえないと考えていました。しかしこの考え方はリアリズムを欠いた一種のロマン主義です。**彼我の力の差を考えれば、火炎瓶や手製爆弾では自衛隊はもとより機動隊にも対抗できないのですから。

池上　そのとおりですね。

佐藤　だから共産党の「敵の出方論」は、ある意味では当たり前の理屈なんです。なぜなら革命が起きる場合に、権力の側が革命勢力の側にむざむざ権力を渡すなどということはありえないのですから。

池上　あくまで体制内の権力移譲である政権交代はともかく、私有財産制度や天皇制など体制そのものを転覆しようとする革命の場合はそうでしょうね。

佐藤　革命が起きるとなれば権力の側は当然実力行使するでしょう。そしてそれに対して力で抵抗するというのも、革命家であれば間違った理屈とは言えません。まさに「革命は銃口から生まれる」です。

しかし社会党左派が同じように本気で革命を目指していたにもかかわらず平和革命を絶

対視したのは、彼らが徹頭徹尾リアリズムを追求したからです。向坂逸郎らは、共産党が作った山村工作隊や中核自衛隊のような武装組織は国家権力から見ればしょせん玩具の域を出ないもので、そんな組織をいくら作ったところで潰されるだけだと考えていました。

池上　そんなことをするくらいならソ連の軍事力を後ろ盾に平和的な手段を徹底したほうが革命に現実的に近づけるということですね。

佐藤　そしてそれに加えてガンジー主義の影響もあったと思います。ご存じのようにインド国民会議派を率いたガンジーは「サティヤーグラハ（真理の把持）」と彼自身が名付けた大衆的非暴力抵抗運動を軸とすることでインド大衆から絶大な支持を受け、インドを英国からの独立に導きました。

どんなに権力から迫害を受けようと、その権力を奪取するにあたって民衆の側は対抗的に暴力に訴える必要はないのだとガンジーが示したことで、ガンジーの非暴力抵抗主義をお手本にすれば平和革命は幻想では終わらないどころか、むしろ実現可能性が高まると社会党左派は考えていたはずなのです。

9　外患誘致：外国に働きかけて日本国に武力行使させたり、武力行使されると知ってそれに協力したりする罪。刑法第八一条が禁じ、死刑に処せられる。

それに対して日本共産党が唱えた「敵の出方論」は、実のところフルシチョフ以降のソ連共産党の方針を単に輸入したものでした。

フルシチョフはスターリン批判後の一九五六年から六〇年初頭にかけて、西側との平和的共存を模索しました。この「平和共存外交」は、米ソ両国が核兵器を配備した状況にあってはレーニン時代のように「帝国主義戦争を内乱に転化」して西側諸国に革命を勃発させることは期待できないという現状認識を出発点に、その状況においては、平和的な手段による革命を各国で推進したほうが効果的である。ただし敵である西側が暴力に訴えてくる可能性は依然としてあるのでそれに備えてこちら側も武力は準備しておく、というものです。だから「敵の出方論」というのはソ連の公式の考え方でもあったわけです。

共産党が「対米従属論」に固執したワケ

池上　なるほど。ところで共産党の対米従属論に話を戻すと、六〇年代といえば日本の資本主義は確かにまだまだ未成熟な部分がありましたし、その時代状況で「日本はアメリカの従属国であり、日本政府はアメリカの傀儡政権なのだ」と聞かされて納得してしまう人は共産党支持者でなくても一定程度はいたでしょう。正直なことを言えば、私自身も若い頃に多少そう思っていた面があったような気がします。

ですから私も学生時代に非共産党員の友人と、「日本は対米従属の半植民地国家なのか、それともアメリカの意向とは無関係に日本政府は対外進出を企てているのか」について論争したことがあります。

でも翻って、六〇年代と比べてずっと経済的に発展した現在の日本が果たして米国に従属しているだけの国なのかどうかを考えると、これはなかなか難しいですよね。

つまり従属国でないのであれば、日本は今日に至るまでのどこかの段階で独り立ちした帝国主義国になっていなければいけないはずですが、果たして今の日本がそういう国なのかというと、そうと見える面もあればそうではない面もある。この問題は現在においても、曖昧で答えを出しにくい問題のように思えます。

佐藤　そうですね。ただ、帝国主義国だからといって完全に自立するとは限らないのも事実です。たとえば現在のドイツはアメリカの核の傘の下に入っている完全には自立してない国のひとつですが、ドイツがアメリカと組んでいるのは別にアメリカの属国だからではなく、単にドイツの政治エリートと資本家にとってそのほうが経済合理的だからです。しかし対米従属という見方に囚われると、そうした大国の傘に入りたがる（相対的）小国の主体的意思は見えなくなってしまいます。

またこの属国論は、陰謀論と結びつきやすいのも問題です。日本がひどい目に遭うのはすべてアメリカの陰謀であり、しかもそのアメリカを陰で動かしているのはユダヤ系のネットワークやフリーメイソンのような秘密結社である、といった妄想と実に容易に結びついてしまう。

池上　田中角栄《たなかかくえい》がロッキード事件で潰されたのはエネルギー政策に関して対米自立を唱えたからだ、という説が未だにそれなりの数の人から信じられているくらいですからね。対米従属論に囚われると、「アメリカに逆らった総理大臣は潰される」といった、根拠のない話が独り歩きしてしまうのはたしかにそのとおりかもしれません。

佐藤　そしてこの対米従属論がなにより問題なのは、日本国内の権力者を倫理的にアメリカの一方的な被害者にしてしまうことです。つまり、日本の政治家や財界がアメリカという一個の巨大な悪の帝国の意のままに動いているという世界観で世の中を見始めると、今度は日本の政権の不作為や資本家の悪行まで「アメリカのせい」となってしまい、日本の権力は事実上の免責になってしまう。

池上　アメリカというものすごく強大な悪の帝国が上からコントロールしている以上、日本の政治家などは所詮何もできないのだというエクスキューズになりやすいというわけですね。

佐藤　アメリカとくっつくことで甘い汁を吸っている人以外は、誰であろうと被害者という構図に、共産党の見方ではなってしまうわけです。

私が思うに、六〇年代の日本共産党が対米従属論に固執したのは、おそらく外国の共産党の意向に振り回されてきた彼ら自身の意識の裏返しでもあったのでしょう。

そもそも共産党は、一九五五年の六全協（日本共産党第六回全国協議会）で宮本顕治ら旧「国際派」がヘゲモニーを確立し武装闘争唯一路線を放棄してからも、先ほどの「六一年綱領」をまとめるまで、ずいぶん長く新しい綱領をつくれずにいました。

〈日本の解放と民主的変革を平和の手段によって達成しうると考えるのはまちがい〉

〈武装の準備と行動を開始しなければならない〉

などと武装闘争を是とする「五一年綱領」の記述も六全協の時点では撤回できず、〈新しい綱領（註＝五一年綱領のこと）が採用されてから後に起こったいろいろのできごとと、党の経験は、綱領にしめされているすべての規定が、完全に正しいことを実際に証明している〉

〈わが党の基本方針は依然として新しい綱領にもとづいて、日本民族の独立と平和を愛する民主日本を実現するために、すべての国民を団結させてたたかうことである〉

と、その内容を正当化せざるを得なかったんです。一九五八年の日本共産党第七回大会でも、綱領の問題は先送りされました。

池上　ソ連共産党やそれを実体とするコミンフォルム、あるいは中国共産党がその頃に他国の共産党に及ぼしていた影響力はそれほど大きなものであって、武装闘争唯一路線を一応は撤回した宮本らとしても、そう簡単に綱領までは撤回できなかったということなのでしょうか。

佐藤　だから日本共産党の歩みを見れば、戦前戦中はもちろん戦後も六〇年代初頭まではソ連べッタリでしたし、フルシチョフのスターリン批判やハンガリー動乱の際もソ連擁護の姿勢は続きました。

大気圏内の核実験を禁止（地下核実験は除外）する部分的核実験禁止条約をソ連が一九六三年八月に米英との三ヵ国間で結んだ際、日本共産党に条約への支持を求めてきたのを拒否してからはソ連共産党との関係が険悪になり、それ以降は中国共産党べッタリになるのですが、六六年に中国で文化大革命が始まると、中国とも距離を置き始めます。このジグザグの繰り返しです。

ですから日本共産党は六〇年代の前半までは依然として中国型の革命を志向する政党であったのは事実であり、それゆえに彼らは中国共産党が対日戦争の勝利を共産主義革命に結びつけたモデルを念頭に、戦前の「中国人民対日本」の関係を、戦後の「日本人民対アメリカ」という関係に引き写していたとも言えます。

それに対して社会党の左派と新左翼は先進国型の革命を思い描いていましたから、この両者は理論的にも引き寄せられていく運命にあったのだと言えます。

「良い核実験」と「悪い核実験」

池上　いま佐藤さんから、一九六三年にソ連が米英と部分的核実験禁止条約を締結したことが、日本共産党がソ連との関係を見直すターニングポイントになったという話が出ましたが、これもなかなか重要な論点ですね。

元朝日新聞編集委員の岩垂弘《いわだれひろし》氏は、著書『ジャーナリストの現場――もの書きをめざす人へ』（同時代社）で、日本共産党の西沢富夫《にしざわとみお》・常任幹部会委員から後年、「ソ連側が条約への支持を、わが党とわが国の民主運動に押し付けてきた。これが、両党の関係が悪化した原因だった」と直接聞かされた経験を綴っています。

佐藤　当初、共産党は部分的核実験禁止条約には反対していましたからね。共産党は、米英が保持する核兵器は帝国主義的な「悪い核」であるのに対して、ソ連など社会主義国が保持する核は帝国主義国の核に対抗するための「良い核」であるという二分法を採用していました。その理屈から考えれば、ソ連が中国の核開発を妨害するような条約を米英と勝手に結んでしまうのは許されないことで、条約への賛同など到底できないことでした。

ですから共産党は、フルシチョフのスターリン批判以降に中国―ソ連間の関係が冷え込み、両国が政治・軍事・イデオロギーなど様々な面で対立するようになった「中ソ論争」においても、表向きは自主独立の態度をとると言いながら実際は中国寄りでしたね。毛沢東はフルシチョフが唱えた「西側との平和的共存論」にも反発し、（当時約六億人だった）中国人民のうち半分が核戦争で死んでも、残った三億人が共産主義の楽園に生き残るのだから核戦争など怖くないと主張しましたが、この頃の日本共産党が核に対してとっていたスタンスも基本的には毛沢東と同じだったわけですから。

池上　ただ、この部分的核実験禁止条約は日本共産党内部にも危機を引き起こしましたね。一九六四年五月に日本の国会でも同条約批准案の採決が行われると、これに当時の共産党所属議員のうち親ソ派の二人――一人は徳田球一と並ぶ戦前からの大幹部でもある衆議院議員の志賀義雄。もうひとりは参議院議員だった鈴木《すずき》市蔵《いちぞう》[10]――が賛成票を投じてしまった。この二人の「造反」を知った宮本書記長は急遽中国から帰国して中央委員会総会を開き志賀と鈴木を除名処分にし、除名された二人はやはり戦前からの共産党員だった小説家の中野《なかの》重治《しげはる》らと共に「日本のこえ」という別党派を旗揚げしました。

佐藤　この時の共産党は本当にピンチだったでしょうね。当時の共産党は基本的に、モッソウ飯（獄中で出される食事）を食った年月がどれだけ長いかで党内の序列が決まる組織でした。だから服役年数が宮本よりも五年長い『獄中十八年』の志賀義雄がソ連側についてしまったのは宮本にとって痛恨でした。

この造反以降、共産党では党内の序列を決めるための基準が少し改まりました。それまでは単純に非転向を貫いて長い獄中生活を送った党員ほど偉いとされていたのを、「完黙」つまり捜査段階から完全黙秘を貫いた党員だとさらに偉いという基準を付け加えたんです。前巻でも話したような事情もあって、非転向かつ完黙の党員となるとミヤケン（宮本）しかいませんでしたからね。

池上　それにしても、核兵器にも「良い核兵器」と「悪い核兵器」があり、核実験にも「良い核実験」と「悪い核実験」があるという理屈は、冷戦期の日本共産党のある側面を象徴している主張かもしれませんね。

一九六五年二月に原水協（原水爆禁止日本協議会）が分裂したのも原因はこの理屈でした。もともと原水協は、アメリカの水爆実験で日本の漁船が多数被爆した一九五四年の「第五福竜丸事件」をきっかけに結成され、核実験の全面禁止を求める運動を行っており、当初

10　鈴木市蔵（一九一〇～二〇〇六）：労働運動家。一九四六年に国鉄労働組合総連合の結成に参加し、副委員長として翌年の二・一ストを指導。一九六四年に部分的核実験禁止条約に賛成して共産党から除名、志賀義雄らと「日本のこえ」を結成した。

は共産党も社会党も運動に加わっていました。ところが一九六一年にソ連が核実験を成功させるとその途端に共産党は「良い核兵器」と「悪い核兵器」論を唱えるようになった。

これにより原水協ではすべての核兵器と核実験に反対するという立場の社会党系と共産党系の対立が深まり、結局は社会党系が離脱する形で原水禁（原水爆禁止日本国民会議）を結成することになって今に至っています。

佐藤　ですから核に対する認識に関して共産党と社会党ではまったく違っていましたよね。

池上　特に一九六四年一〇月一七日、東京オリンピック開会中に共産党が見せた姿勢は当時の一般国民にとっても衝撃的だったでしょうね。この日は五輪開会式の数日後、つまり五輪の真っ最中でしたが、そこで中国が初の核実験を成功させた。しかもこの核実験は地下ではなく大気圏内で行われたので、実験で排出された大量の放射性物質は偏西風に乗り、世界各国からオリンピック選手が集まっているというタイミングで日本の上空を通過していった。

だからその時の日本の世論は大変な怖がりようで、髪の毛を雨に濡らすと全部抜けて禿げてしまうというデマが大真面目に信じられていたほどでした。

それにもかかわらず共産党は、宮本顕治書記長が中国の核実験を「自衛手段」として全面的に肯定してしまった。これは二〇年前の原爆投下と、ちょうど一〇年前の第五福竜丸事件の記憶がまだ生々しかった一般国民にはとうてい受け入れ難かったでしょう。一般国民からすれば、アメリカの核も中国の核も何も変わりはありませんからね。

佐藤　だから創価学会は今でもこのときの宮本の態度を非常に問題視して共産党を「嘘つき党」だと批判するわけですよ。前巻でも触れましたが、創価学会は核兵器を使用したものは「ことごとく死刑にしなければいけない」とする戸田城聖《とだじょうせい》・第二代会長の「原水爆禁止宣言」を今でも遺訓として伝えていて、「良い核」などという都合のいいものは認めていませんから。

「日韓基本条約」をめぐる対立

佐藤　東京オリンピック翌年の一九六五年には「日韓闘争」が勃発しています。六〇年代に起きた政治運動すべてに関して言えることではありますが、ここでも日本共産党が自ら唱えた対米従属論への執着、そして日本の帝国主義をめぐっての社会党や新左翼との見解の相違は混乱をもたらしました。

池上　日韓闘争は、日本政府が韓国との国交を正常化させるとともに韓国への経済支援を約束する「日韓基本条約」を締結しようとしていた際、社会党や新左翼の学生たちが条約締結を阻止しようとした政治運動ですね。

この時に社会党は、日韓基本条約が北朝鮮（朝鮮民主主義人民共和国）の存在を無視して韓国との国交回復だけを目的としていること、しかも韓国政府が朝鮮半島における「唯一の合法的な政府」であると日本政府が認める内容になっていることも「南北朝鮮半島の統一を妨害する」として問題視しました。

佐藤　ええ。また当時の韓国大統領である朴正熙《パクチョンヒ》は軍事クーデターにより政権を樹立し、反対派のデモをＫＣＩＡ（韓国中央情報部）を使って弾圧した独裁者と見られていましたから、社会党や新左翼の反発はなおさらでした。日本社会党所属の衆議院議員だった松本七郎《まつもとしちろう》は日韓基本条約を「南朝鮮人民を銃剣で弾圧したあの買弁的な軍事ファッショ朴正熙政権と日本の一部支配層の政治的やみ取引の所産」と糾弾しています。

つまり社会党にとって日韓基本条約とは、日本の帝国主義が甦り再び対外進出を企んでいることの表れにほかならず、これを放置することは日本人の先の戦争における加害性を黙認してしまうことでもありました。その認識があればこそ締結に強く反対したわけです。

ところが共産党はこの闘争において非常に冷淡でした。なぜなら日本が米国の従属下にある以上、自主的な対外進出など理屈の上では不可能であり、日韓闘争に参加することは論理矛盾をきたしてしまうからです。

なお社会党と総評系労働組合の青年部は日韓基本条約の批准やベトナム戦争に対して、より「戦闘的」な反戦運動を行うことをめざし、一九六五年に「ベトナム戦争反対・日韓批准阻止のための反戦青年委員会」、通称「反戦青年委員会」という組織を作っているのですが、この組織が新左翼との関係で大変に重要な意味を持っています。

社会党はこの「反戦青年委員会」に新左翼を積極的に受け入れることで組織拡大を図りました。ところがここに、新左翼の中でも学生ではない労働者部隊が大量に入り込んできて、この連中が非常に急進的かつ暴力的な運動を展開したのです。

そしてこれに学生の委員たちも影響されてしだいに過激化していきました。つまり後に語るような新左翼の過激化に、反戦青年委員会は一役買っている面があったわけです。

ストライキが日常化した時代

佐藤　共産党がアメリカ帝国主義との闘いを他のどんな政治課題よりも優先したがゆえの混乱は、六〇年代の労働運動にも必然的につきまとっていました。これまでに書かれた様々な左翼史ではなぜかあまり強調されていない点ですが、六〇年代は総評が実力をつけたことで傘下の官公労や国労（国鉄労働組合）、日教組、自治労といった産別組合の活動も必然的に活発化し、そうした組合によるストライキもかなり日常化した時代でした。

池上 そうですよね。私が小〜中学生だった一九六〇年代前半は、学校の先生たちもしょっちゅうストライキをやっていました。帰りのホームルームなどで「明日は先生たちがみんなストライキなので学校には出てきません。校長先生だけは学校にいて見回りに来ますから、皆さんは自習していてください」と急に告げられて、そういうときは、普段教壇に立つことがない校長先生が教えてくれるかもしれないと、ちょっと得したような気分になったものです。

こんなことを言うと、教員を含め公務員のストライキを禁じている国家公務員法や地方公務員法の規定はその頃はなかったかのような誤解を読者に与えてしまいそうですが、あの頃も公務員のストは法律上禁じられていました。だからあの当時の先生たちは、最初から処分覚悟でストをやっていたわけですね。

佐藤 実際、処分されていましたしね。

池上 ええ。大量に処分されてクビになりますし、東京都教職員組合の幹部なんて違法なストライキを指導したという容疑で逮捕までされていました。だから日教組はその人たちを専従として大量に抱え込むわけですね。あの頃は労働組合がそれほどに戦っていた時代でした。

佐藤　それができたのも、組合が一生面倒を見てくれたからですよね。組合が組合員の生活とキャリアを保証してくれていた。

池上　それができるくらい組合の組織率が高く、組合員が毎月納める組合費でたくさんいる専従者の給料もしっかり払うことができましたからね。

佐藤　一方でこの時期は、日本の資本主義が高度な発達を遂げるなか、資本の側が労働現場に最新の機械を導入することで人員を減らそうとしたり、あるいは個々の労働者の負担を増やしたりなどの「合理化」も盛んに行われました。

　そうした動きに対抗するため、社会党は総評とともに「合理化反対」を中心課題として定め、闘争を展開しました。

池上　国労などは、新幹線の車体に「電子計算機導入による人べらし合理化に反対しよう」といったビラを張って抵抗運動を展開しましたよね。

佐藤　ところが日本共産党は、この闘争に対しても冷淡な態度を取り続けました。核兵器や核実験と同じく合理化にも「良い合理化と悪い合理化がある」といういつもの理屈で日和見を決め込んだのです。

　もう少し後の七〇年代に入ってからの話になりますが、この姿勢がより極端な形で表れたのが、教師という職業の本質をめぐって共産党と社会党左派の間で論争が起きたことでした。
この時期に社会問題化しつつあった学校教員の過重労働の問題に対して、社会党と総評は、「教員も労働者である」という観点から長時間労働抑止のための論陣を張り、旧文部省と戦おうとしていました。それに対して共産党は、教師は聖職であり、一般労働者と同じように扱うのはなじまないと主張したんです。

池上　不思議な論争ですよね。自民党をはじめとする保守勢力が、教職員の政治参加を制限したい目的で掲げた「教師は聖職である」という主張に共産党が同調したのですから。自民党はさぞ喜んだだろうと思いますが……。

佐藤　日教組―総評を通じて社会党に教員の指導権を握られるよりは、教師は聖職ということにしてでも日教組の力を弱めたいとこの時の共産党は考えていたのでしょうね。だから共産党は、労働組合に対しても「政党支持の自由化」を押し付けてきました。
社会党が、労働組合はその本質から社会主義政党を支持するべきであり、社会党なり共産党への支持を機関決定すべきであると主張したのに対して、共産党は労働組合が機関決定を組合員に押し付けるのは民主主義に反すると反対した。労働組合員でも自民党を支持して構わないし、個々の組合員が支持する政党を、組合が「機関決定」という形で指定するのは禁止されるべきだと主張したのです。

実はこれらの主張の背景にも共産党流のアメリカ従属論が影響しています。どういうことかというと、日本はまだアメリカ帝国主義の従属下にあって民主主義革命さえ終えていない段階なのだから、今ここで階級間の対立を煽るのは民主主義革命の妨げになるだけだ、今はそんなことよりもまずアメリカを追い出すために、資本家も労働者も関係なく、すべての階級が幅広く団結していくことが重要なのだという理屈です。

「四・一七スト」を批判した共産党

佐藤　この理屈が根っこにあるゆえに、共産党が六〇年代にかかわった政治運動はすべておかしなことになりました。

一九六四年四月一七日の「四・一七スト（ゼネスト）」にしてもそうです。

池上　戦後まもない一九四七年、共産党主導で準備されていた「二・一スト」がマッカーサーの命令で中止に追い込まれたことで、左派勢力の中での共産党の信頼が急激に低下する重要なターニングポイントとなったことは前巻で触れましたが、それから一七年後に、今度は社会党―総評主導でゼネストが計画されたのですよね。

この年の春闘で総評は「ヨーロッパ並みの賃金」実現を目標に掲げており、そのために経営側に「二五％以上あるいは七五〇〇円以上の大幅賃上げ」「最低賃金の確立」「労働時間の短縮」という三本柱の要求を突きつけていました。
そして総評の太田薫《おおたかおる》議長はこの闘争で勝利するには「一ヵ月以上の無期限ストライキができる体制」を確立しなければいけないと傘下の組合に訴えました。これに全国の官公庁の労働組合が集まってつくる「公共企業体等労働組合協議会（公労協）」も応じ、国鉄幹線の全列車も含めて半日間のストを行う「全国半日スト」を四月一七日に行う方針を決定しました。

佐藤　その辺りの経緯について、社会党の党史（『日本社会党の三十年』）では以下のように記述しています。

〈社会党がこのような活動をおこなっている時期、労働組合運動の分野では一九六四年の春闘が組織されていた。この年の春闘は「太田議長が〝青年よ、ハッスルせよ〟といい、「企業連をのりこえよ」という呼びかけではじまり」、「総評はようやく骨身にからみはじめたマンネリズムをふりきり、民間の基幹産業労働者の長期ストライキによって、今まで以上の大幅賃上げを勝ち取ろうとする積極的な構えをみせ」ていた。
三月二七日に全国統一最低賃金制確立のための統一ストを行った。全国金属、全造船、電機労連のストライキを反復し、闘争の波は公労協にも波及した。国労は私鉄総連とともに四・一七統一半日ストを決定、他の公労協組合もこれに日程をあわせて、四・一七公労協半日ストをおこなう準備が進んでいた。四月二日には異例のこの年二度目の総評臨時大会がひらかれ、つづいて四日には公労協のスト宣言が発せられて、スト態勢はがぜん熱をおびてきた。〉（479〜480頁）

池上　実現していれば史上空前の規模のゼネストだったことは間違いないでしょうね。

二・一ストが仮に実行されていても、これ以上ではなかったかもしれません。

佐藤　ところがこれに猛反対したのが日本共産党でした。四月八日、〈このストは挑発であり労働者と全民主勢力との統一を破壊する危険性がある〉という声明を発表して「アカハタ」紙上でもキャンペーンを展開したのです。

「アカハタ」では、当時共産党の党幹部会員で書記局員でもあった聴濤克巳《きくなみかつみ》[11]が次のように書いていました。

聴濤克巳

11　聴濤克巳（一九〇四〜一九六五年）：労働運動家。朝日新聞社労組初代委員長。一九四五年に共産党に入党し、一九五八年に「アカハタ」編集局長、党幹部会員などを務める。

〈悪がしこい政府と大資本家は、この闘争が主として賃金引上げに重点がおかれていることを逆用して、世論を組織して労働者を孤立させ、弾圧の口実をつくり、闘争を失敗させ、労働組合を分裂、破壊する謀略をめぐらしています。〉

〈いかんながら、安保国民会議はいまだ再開されず、多くの組合が日本人民の政治的闘争に背をむけ、みずから孤立する態度をとっています。そのために、労働者大衆は、これほどの大闘争をやりぬくのにふさわしいだけの政治的、思想的、組織的準備をもつことができずにいます。……これは、闘争を無防備な、孤立した闘争にし、労働者大衆を政府と大資本家の謀略、弾圧、処分に身をさらさせることになります。〉

〈われわれがもっとも憂慮するのは、共産党から脱走した修正主義者たちが、一方では原水禁運動や安保共闘の分裂を策しながら、同時に、他方では「反独占統一戦線」と称してこのような闘争方針を主張し、トロツキストたちが冒険主義的な「ゼネ・スト」をあおりたて、組合運動内部の分裂主義者がこれに呼応していることです。ここには、はっきりと挑発のにおいがあり、労働者を孤立させ、労働者と全民主勢力との統一を破壊する危険があります。〉

〈一七日の公労協中心のストライキは、まぢかに迫っています。いま緊急に必要なことは、ストライキによる総決起の方針を早急に再検討し、有効な方針をさらに深く検討し、挑発を排して、闘争を着実にもりあげ勝利にむかって前進することです。〉（481頁）

要するに「ゼネストは挑発だから乗ってはいけない」と言っているわけですが、共産党が公労協各労組の内部でも共産党系の組合員たちを扇動し、スト反対の活動を行わせた結果スト体制は大きく混乱し、結局挫折してしまいました。

池上　いずれにせよ、労働者が賃上げを要求してストライキをやろうとしたら、共産党がストップを掛けるという奇妙な事態になってしまったわけですね。本来ありえないはずのことが起きてしまった。

佐藤　しかしこれに対しては、共産党が想像をしていなかったほどの反発が返ってきました。それはそうですよ。労働者が賃上げ要求し、そのためにストが必要だと訴えているのに、「そんなことは挑発だからやめろ」と反対する共産党に一体どんな存在意義があるのかという話ですから。

だからこの「四・八声明」を出した三ヵ月後には、共産党も声明を出したことは誤りであったと認めて自己批判し、宮本顕治が公労協に詫びを入れています。このあたりの経緯も共産党が一九八二年に出した「六十年党史」（『日本共産党の六十年』）には過剰に簡略して書いており、これだけ読むとなぜストが中止になったのかさえわからないくらいなのですが、その一〇年前に出た「五十年党史」（『日本共産党の五十年』）はまだ多くの人が忘れていない時代に書かれているだけに比較的しっかり書いています。

〈一九六四年の春闘のさい、党は、労働組合が準備していた四・一七ストライキに反対するという指導上の誤りをおかした。これは、宮本書記長をふくむすくなからぬ党中央委員会幹部会員が海外に出張し、幹部会の集団指導が弱められている時期におこった問題であった。〉（２１１頁）

〈……「アメリカ帝国主義のたくらむ挑発スト」という誤った規定をおこない、ストライキを回避することを事実上の最大の目標にするにいたった。これは、外国の党指導者の主張への事大主義的な追随にもとづく綱領の路線からの逸脱が、経済闘争の軽視など、労働運動の指導における一連の誤った傾向とむすびついておかされた誤りであった。〉（２１１頁）

聴濤が声明を出そうとしていた直前、宮本が「こういうのはよろしくないのではないか」と窘《たしな》める手紙まで書いて送ったというエピソードも、長々と引用しながら紹介しています。

池上　要するに宮本たち最高幹部たちが揃って国内を留守にしている状況下で、聴濤という一人の幹部が中国共産党に煽られた結果「綱領の路線から逸脱」し、勝手な判断をしてしまったという言い分なのですね。

佐藤　共産党の言い分としてはそういうことのようです。この件で指導責任を問われた聴濤は自己批判のうえ中央委員に降格させられ、一年後の一九六五年八月、失意のうちに六一歳で亡くなっています。

しかし共産党という組織の性格上、一人の書記局員が独自の判断で「四・八声明」のような重大声明を出せたなどにわかには信じられません。そもそも、聴濤は降格処分こそ受けていますが除名にもなっていません。本当に彼が独断で、宮本の直接の指導に逆らってまで声明を出していたなら除名処分は不可避でしょう。

また四・一七ストが挫折に至るまでの経緯を社会党側の視点で記した記録を読めば、少なくともこの頃の共産党に組織全体でストを中止に追い込みたい意図があったことは間違いなさそうです。

〈四・一七ストをめざす動きがこのようにかっぱつになっていくなかで、日本共産党は春闘全体に微妙な態度をとっていた。そのことは、社会党側にもある程度察知されており、四月七日の社会党中央執行委員会では、小柳労働局長がつぎのような報告をおこなっていた。

「一、共産党は日韓と最賃については宣伝に力を入れているが、大巾賃上げの闘いには消極的である。というよりむしろサボっている。

二、共産党は一七日の行動は冒険であるから、やめるべきだという意味のことを非公式ではあるが、国労三役、社会党成田書記長らに申し入れている。しかも、春闘とか、実力行使というのは「一揆主義」だともいっている。しかし、日韓会談が最近後退してきたためアカハタ紙上では弁解じみた論説や記事が散見される。

三、公労協のスト宣言に対し、政府は「まさか」という安心感をもっている。この安心感をささえているのは、どうやら共産党の動きとも関係があるとみられる。

四、以上のような共産党の動きの背景にあるものは、第一に大巾賃上げをかかげて闘う総評の闘いをチェックして幹部不信の空気をつくろうとしていること。

第二は、総評は大単産のことばかりやって中小企業のために闘おうとしていない。だから、共産党は最賃に重点をおいている。このために「最賃共闘」をやむをえず共産党が先頭になってやっているのだ、という動きに見られるように、総評とは別なかたちの組織をつくる意図があるからではないか。
五、党は、このような共産党の誤った方針、態度をただしながら、党として一層春闘勝利への闘いをつよめねばならない。〉（480〜481頁）

ですから共産党としては、社会党にヘゲモニーを取られるのがとにかく嫌だったのですよ。

総評は元々は右寄りの組合だったのがあれよあれよという間に左傾化し、三池闘争をはじめとした数々の争議で「闘う組合」としての存在感を示しました。これは当時「ニワトリからアヒルへ」と評されるほどの変化でした。しかしこうした争議を通じて社会党が共産党よりも戦闘化していき、労働者が社会党に引き寄せられていくことを、共産党はものすごく嫌がっていました。

池上　社会党の党史に当時の共産党幹部たちが言っていた言葉として出てくる「一揆主義」。これは戦闘的な運動に対して取り残された立場の者が、「そんなことは挑発的だ、わざわざ叩き潰されるためにやるようなものだ」と批判するために使われる言葉ですね。

佐藤　そうやってブントのことも暗に貶めていますよね。ブントはドイツ語で「一揆」「一揆主義」の意味もありますから。

しかし共産党自身がどういう戦略を持っていたのであろうと、共産主義政党がストを否定してしまっている時点でどう考えてもおかしいですよ。

そもそも三井や三菱などの旧財閥系企業が海外に進出し、途上国からの搾取と収奪を再開しようとしていた当時の状況を見れば、日本がアメリカに従属している準植民地であるなどという見方は現実を全く捉えていないことはすぐに分かるはずです。

ところが共産党の場合はその間違った現状認識をベースにして思考を積み上げていくから目標設定も誤ってしまうし、その結果、共産主義政党でありながらストを「権力への挑発」と批判し、階級闘争まで時期尚早と批判するような奇妙な捻れを生み出してしまうんです。

池上　確かに共産党のその観点にもとづいて、本当に民族解放を最優先で目指すのであれば、理屈としてはまず愛国的な資本主義社会を実現することを優先すべきで、ストライキなんて当面はやる必要はないということになってしまいますからね。

佐藤　ですから共産党も「六十年党史」では、四・八声明は聴濤個人の誤りとしている一方で、〈四・一七ストライキは、経済的ストライキであり、政治的課題と正しく結合されず、民主勢力との共闘という点にも欠けていた〉と総括しています。

池上　あのスト自体に問題があったという態度はけっきょくその後も変えなかったわけで

すね。

佐藤　共産党に言わせると、ストなどやっていてはアメリカ帝国主義との闘いを後退させるということになってしまうわけです。

差別問題に対する社共の違い

佐藤　あと六〇年代の社会党と共産党の思想的対立ということでいえば、やはり部落差別に対する両党のスタンスの違いについても指摘しておかなければいけません。

被差別部落の問題に対して社会党系の部落解放同盟は、差別というものは社会・経済構造だけには還元できず、人間の心が生み出す問題でもあり、そうであるがゆえに部落差別は封建社会を脱して久しい資本主義体制になってからも再編されて、むしろ拡大しつつあると主張してきました。

それに対して共産党が傘下の全解連（全国部落解放運動連合会）とともに唱えていたのが、「国民的融合論（国民融合論）」でした。これは部落問題は近世以前の封建的身分制度の遺制、つまり名残以上のものではないので、その克服は資本主義の枠内で可能であり、実際に部落差別は解消の方向に向かっているという論です。これをベースに共産党は、社会党や部落解放同盟が言う「人間の心の中に差別がある」などという主張は非科学的だという批判を強めていきました。
現在に至っては、もはや部落差別は基本的に解消したものであり、部落差別の有無について調査すること自体が差別をつくり出し、解放同盟の利権になっていると共産党は批判してさえいます。

池上　もはや同和行政は不要であると主張しているわけですね。そういえば共産党は、沖縄に関しても差別があるとはあまり言いませんね。

佐藤　差別問題は共産党にとってある意味では最大の仮想敵なんです。なぜならば日本における差別問題は基本的に日本国内に存在する日本人同士の問題であるがゆえに、これがあまり強調されると、「真の敵はアメリカ帝国主義である」という問題意識を見失わせてしまいかねないと彼らは考えるからです。
だから沖縄人民と日本人民との間に差別があるなどということも指摘すべきでないということになるし、実際に差別があるとは彼らは絶対に言いません。しかしこれは、あまりに平板な日本人観というべきですよ。

「したたかな組織」の強みを知る

佐藤　本章でひとつひとつ指摘してきたことで、共産党と社会党、さらに言えば日本共産党とそれ以外の左翼の間の違いが実に大きいということは読者にもわかってもらえたのではないかと思います。はっきり言えば日本共産党という組織がやってきたことは、マルクス主義という文脈からも当時の社会情勢から見ても合理的な説明ができないことがあまりに多すぎます。だからこそ日本共産党は、比較的最近まで日本の左翼の中でも少数派にとどまってきたと言えるわけです。

しかし、そうした彼らの一見不合理な行動も「自らの組織を維持・拡大するために行った」という補助線を書き加えて見直してみると、見事なほどに首尾一貫していることが見えてきます。

そして社会党が消滅して数十年経った今、日本共産党は現実の政治に影響を与えうる唯一の左翼勢力になってしまっています。これは恐ろしいことです。

ですからこうした共産党のしたたかさ、組織を生き残らせるための戦略をひたすら徹底してきた歴史は、もしかしたら企業経営の観点で見るとものすごく勉強になるのかもしれないと思うこともあります。世の中においては必ずしも正しいものが勝つわけではないということが、共産党を見ていると本当によくわかるからです。

池上　そうですね。二〇二二年で結党一〇〇周年を迎えるわけですから、並外れた組織運営能力を持っていると言うことはできるでしょう。

この章では、六〇年代前半に起きた様々な事件や出来事を追いながら、社会党と共産党が異なる指針を表明し、対立をしてきた経緯を見てきました。そんななかで誕生したのが新左翼の動きで、一九六五年以降になると新左翼を中心とした学生運動が盛んになってきます。

戦後左翼史が最も盛り上がる学生運動について、次の章から見ていくことにしましょう。

第二章

学生運動の高揚

（一九六五〜一九六九年）

なぜ学生たちは立ち上がったのか？
若き左翼のエネルギーが「大学＝体制」に反旗を翻す。

《第二章に関する年表》

一九六五年	一月二八日	慶大の学費値上げ反対で学生が全学スト。
	四月二四日	ベトナムに平和を！ 市民文化団体連合（べ平連）主催の初のデモ。
	八月一九日	佐藤首相、戦後初めて首相として沖縄訪問。
一九六六年	一月一八日	早大学生、授業料値上げ反対スト。
	二月一四日	佐藤首相、参議院決算委員会で、安全が確認されれば米原子力空母の寄港を承認と答弁。
	一一月二四日	明大学生会、授業料値上げ案に反対、無期限スト。
一九六七年	九月一四日	法政大で学生処分問題をめぐり未明に機動隊導入、学生二七五人を検挙。
	一〇月八日	佐藤首相、第二次東南アジア・オセアニア諸国歴訪に出発。三派系全学連、反対デモ。警官隊との衝突で学生一人死亡（第一次羽田事件）。
	一一月一二日	佐藤首相、訪米に出発。三派系全学連デモ隊、空港周辺で警官隊と衝突（第二次羽田事件）。

一九六八年	一月一五日	米原子力空母エンタープライズ佐世保入港阻止の反日共系学生、東京・飯田橋で警官隊と衝突（一三一人検挙）。一七日、佐世保で衝突。
	一月二七日	佐藤首相、非核三原則を含む「核四政策」を発表。
	五月二七日	全学共闘会議（議長・秋田明大）を結成、学園民主化を要求。九月四日に仮処分執行で学生一三二人検挙（日大闘争）。
	六月一五日	東大医学部紛争で、一部の学生が安田講堂占拠。一七日、警官隊導入により強制排除。二〇日、警官隊導入に抗議して、東大一日スト。
一九六九年	一月一八日	東大、機動隊八五〇〇人を導入、占拠学生を実力排除。一九日、安田講堂の封鎖解除。両日で学生六三一人逮捕（安田講堂事件）。

安保の挫折と学生運動の停滞

池上　第一章では一九六〇年代の左翼史を社会党と共産党の思想的違いと、その違いが必然的にもたらした運動上の対立という観点から見ていきましたが、ここからは同じ時代を新左翼や学生運動の側の視点で見ていくことにしましょう。

その上でまず重要なポイントは、**新左翼にとって六〇年安保は巨大な挫折にほかならなかった**ということです。第一章でも述べたように、安保闘争は最後になって大きな盛り上がりこそ見せましたが、それにもかかわらず六月一九日午前零時をもって新安保条約は自然承認され、六月二三日の日米両国の批准書交換をもって発効しました。

この結果を目の当たりにして、安保闘争に加わった全学連の若者たちの多くは言葉にしがたい挫折感を経験しました。彼らとしては命懸けで戦ったつもりだったにもかかわらず、結局は条約が発効してしまったことで、ある者は「俺たちがやったことになにか意味はあったのだろうか」と落胆し、ある者は革命を成し遂げる絶好の機会と捉えていたにもかかわらず足がかりさえ残せなかったように感じたからです。

そうした、当時の若者たちの心象を表していると言われるのが、当時の人気歌手で、のちにタレントの関口宏《せきぐちひろし》さんと結婚した西田佐知子《にしださちこ》さんが歌っていた『アカシアの雨がやむとき』というヒット曲でした。この曲が発表されたのは一九六〇年四月ですので、必ずしも作詞家が安保闘争を念頭に置いていたとは限りませんが、少なくとも安保闘争に挫折した学生たちからすると、この曲の歌詞が独特のけだるいメロディと相俟って、自分たちの心境に寄り添ってくれているように感じられたのです。

『アカシアの雨がやむとき』(作詞・水木《みずき》かおる)

アカシアの　雨にうたれて
このまま　死んでしまいたい
夜が明ける　日がのぼる
朝の光の　その中で
冷たくなった　わたしを見つけて
あの人は
涙を流して　くれるでしょうか

アカシアの　雨に泣いてる
切ない胸は　わかるまい

思い出の　ペンダント
白い真珠の　この肌で
淋しく今日も　暖めてるのに
あの人は
冷たい瞳《め》をして　何処《どこ》かへ消えた

アカシアの　雨が止む時
青空さして　鳩がとぶ
むらさきの　羽の色
それはベンチの　片隅で
冷たくなった　私のぬけがら
あの人を
さがして遥《はる》かに　飛び立つ影よ

このような「どうせ何をやっても無駄だ」という虚無感が学生たちに広がるなか、ブント も革命の方法論をめぐって激しく動揺し、内部対立が生まれました。

あくまでブントを拠点に革命を目指そうとする者もいれば、序章にも出てきた新左翼のもうひとつの系譜である革共同のほうにより可能性を感じて移っていく者もいました。ブントから離れて、革命とは無縁の普通の人生を送ることを選んだ人もいたでしょう。

そのようにして一次ブントは対立し一九六〇年のうちに「戦旗派」、「プロレタリア通信派（プロ通派）」、「革命の通達派（革通派）」の三派、そして分裂を回避した「関西派」の計四派に分裂しました。

この一次ブントの分裂によって六〇年代の学生運動はいったん収束し、そこからしばらくのあいだ大きく停滞してしまいます。

佐藤　「関西派」が分裂を回避し緩やかな形ではありながらもその後も残っていったのは、良くも悪くも関西の学生たちが関東と違うある種の「いいかげんさ」を持っていたからでしょうね。ですから私が同志社大学の学生だった一九八〇年代も「関西ブント」と称して、京大同学会や同志社学友会など大学ごとの組織として残っていました。それがまた別の流れになっていったわけですが。

代議制を捨てた「全共闘」

池上　このように安保闘争終結後の学生運動は、ブントや全学連は分裂しすっかり下火となってしまうのですが、一九六四年八月には北ベトナム沖のトンキン湾で、アメリカ海軍の駆逐艦が北ベトナム軍の哨戒艇に魚雷攻撃を受けたとされる「トンキン湾事件」が発生します。これを受けて米国のリンドン・ジョンソン大統領はベトナムに戦闘部隊の派遣を命じ、ここからベトナム戦争の泥沼化が始まりました。

そして日本でもこの翌年の一九六五年頃から、ベトナム戦争反対などの運動を通して、再び学生運動が盛んになってきます。

六〇年代の一連の「学園闘争」が最初に起きたのは、実は私の母校の慶應義塾大学であり、一九六五年一月に大学側が学費値上げを発表したことに学生側が抗議し撤回を求めた「学費値上げ反対闘争」として始まりました。

佐藤　今の若者は意外に感じるかもしれませんけど、慶應から始まったんですよね。

池上　その後さらに六七〜六八年頃になると、慶應大学医学部の研究のために米軍の資金を受け取っていたことが発覚して、大規模な抗議ストライキが起きたこともあります。

一九六五〜六六年にかけて、そうした授業料値上げ反対運動などの要求実現運動が各地の大学で急に増えていきました。もっとも一九六五〜六八年ぐらいの学生運動と六〇年安保闘争では、熱量などの点で全く違ったものではありましたけれどね。

佐藤　この時期の学生運動は六〇年安保のような大衆的な運動がすでに挫折した後の、革命への具体的な展望など見えない中での運動でしたからね。他方で新左翼のセクト諸派も、激しい内ゲバなどはまだ始まっていませんでしたから悲壮感もなかった。

だからその意味では、この頃はまだ学生運動が社会との接点を持っていました。これが七〇年代になるとかなり様相が違ってきます。私のように一九七〇年代の終わりから八〇年代にかけて学生生活を送った者から見ると、新左翼系の党派に入るということは少なくとも東京では「市民社会から降りる」ということと同義であって、暴力団の構成員になるのと同じぐらいの覚悟が必要でしたから。

池上　そうでしょうね。ですから六六年頃の学生運動は、暴力団ではなく、暴走族の連中とつるんで走るぐらいの社会からの逸脱の程度だったのではないかと思います。

慶應の学生運動だって、学生たちが求めたのは「学費値上げ反対」という個別具体的な問題でしたから、このときは慶應の自治会が大会を開いて学生たちの賛否を投票で確認した上でストライキに入っています。

これとほぼ同時期には早稲田大学でもやはり学生たちが授業料値上げに反対し、学生会館の管理運営権をめぐって大学側と学生自治会が争った「第一次早大闘争」が行われていました。早稲田でも自治会が学生大会を開いて民主的にストライキ権投票をした上でストライキに入っています。

ただこれらの慶大闘争や早大闘争のそれまでになかった点は、**闘争の過程で「全学共闘会議」、いわゆる全共闘という仕組みが登場した**ことでした。

学生自治会という場は学生たちみんなの大衆組織ですから、ここで多数決をとり賛成多数が得られれば学生たちが全学ストライキを打つことも可能です。しかし同じストでもバリケードストライキ、つまりバリケードでキャンパスを封鎖し、建物を占拠するような戦闘的なストを行おうとすると、多数決方式では多数派のノンポリ学生がついて来られないので否決されてしまいます。

そこで慶大闘争や早大闘争では、革命意識の高い学生たちがブントや革マル、中核派といった所属党派の垣根を越えて集まる「共闘会議」が自治会とはまた別に組織され、この全学共闘会議を軸とした闘争が展開されました。

この全共闘が間もなく各地の大学ごとに結成されていくことになります。その中でも特に有名になったのが東京大学の全共闘と日本大学の全共闘。後で説明することになる二つの学園闘争を行った全共闘でした。

佐藤　それぞれの大学でストライキなどを打つ場合、参加者が定足数を満たしている学生大会を開催して、そこで過半数の賛成を得るなど一応は民主的な手続きを踏まなければいけない。でもそれだと完全に大衆的な運動しかできずそれ以上の規模には広げようがないので、「戦う意志」を持った人間だけが集まって前衛的に物事を決めて実行していくための組織として全学共闘会議ができた。

だから**全共闘の特徴は、近代的な代議制「ではない」というところにこそあります。**自治会のように多数決で物事を決めるのではなく、「意識が高い」者だけで集まったほうがよい、そしてそこでは個々の議題についても投票ではなく拍手さえ起これば承認されたものとし、実践していくという思想です。

だから実は全共闘は根底の部分では一九三〇年代の翼賛運動の復活でもあるし、ソビエト的でもある。あるいはナチスに似た部分もありますよね。

でもそういうものって今でもあるわけで、今でも大学の学園祭実行委員会などはそんなものですよね。議長が「挙手をお願いします」と呼びかけ、挙がった手の数を数えもしないで「賛成多数と認めます」と議決していくやり方で学園祭に関する意思決定ができてしまうのですから。

自己本位ではなかった学生たち

佐藤　とはいえこの学費値上げ反対闘争、安保闘争とは熱量が違うのは仕方ないにしても、こうした闘争が起こされたことは当時の学生たちの意識の高さを感じさせますよね。

だって、学費が高くなるのは翌年以降に入学する新入生の分であって、運動の主体である在学生は実は無関係。彼らの学費は卒業まで据え置かれることは入学時の約束である以上は決まっていたのですから。

しかしそれなのに当時の学生たちは、後輩として入ってくる学生たちの授業料を値上げするのは理不尽だと声を上げて、その反対運動が盛り上がった。

池上　私が慶應にいた一九七二年にも学費値上げ反対闘争はあり、全面ストライキに入りました。

二〇一九年の慶應三田祭で卒業生が昔の学生生活について在校生に教えるという企画があり、私のところにもある現役学生が話を聞くために訪ねてきたのですが、この学費値上げ反対ストの話をすると不思議そうな顔をしているんですよ。

彼らからすると「だってこれから入ってくる学生の授業料を値上げするんでしょう？在学生には関係ないのに、何で反対するんですか？」というわけです。

それを聞いて私はつい語気を強めて「おい！　君は自分さえよければいいのか！」と言ってしまいました。

佐藤　いや池上さん、私が教えている同志社なんてもっとひどいのがいますよ。「学費が安いよりは高いほうが金持ち大学みたいでいいじゃないですか」などと平然と言い放つやつがいる。私の場合はそういうやつに会ったら、「成績の悪いやつほどそういうことを言うんだよな」と嫌味を言ってやることにしていますが。

池上　(笑)。いやあ、学生の意識もすっかり変わったものだと思いましたね。

佐藤　冗談はさておき、こうした学費値上げ反対のような闘争も、運動の主体となった当時の若者が考えていたのは「自分が金を払うのが嫌だ」という自己本位の問題意識が出発点じゃなかったという点は強調しておきたいですね。

　学生たちが大学側の学費値上げ画策に怒ったのは、学費値上げとはすなわち大学当局が資本の論理に基づき大学を運営していることの表れであり、ひいては学生たちを資本家階級が期待する労働力として育て供給するための機関に成り下がっているのが許せなかったからでした。もちろん屁理屈じみたところはあったかもしれないけれど、みんな一生懸命に理屈を組み立てようとしていた。

　だから彼らはマルクスやレーニン、あるいはローザ・ルクセンブルクやトロツキーの著作を読んだ上で理屈を組み立てていましたし、その意味において六〇年代は、左翼運動と知的なものがまだ非常に密接に結びついていた時代でした。

第一次羽田事件の衝撃

池上　そういう意味でも六〇年代中頃の学生運動は紳士的というか牧歌的だったと言えなくもないのでしょうが、徐々にその空気は変わり、いわゆる新左翼運動的な凄惨さを帯びていきます。そうなっていく上で最大のターニングポイントは、やはり一九六七年一〇月八日の「第一次羽田事件」、当時京都大学の一年生だった山崎博昭《やまざきひろあき》君が亡くなった事件だったろうと思います。

ベトナム戦争が泥沼化し、反米世論が高まっていくなか、当時の佐藤栄作《さとうえいさく》内閣は日本国内にある軍事基地や野戦病院などを米軍が使用することを黙認し、これが日本によるベトナム戦争の後方支援であるという批判が高まっていました。

佐藤　ベトナム戦争中は日本にも米軍の野戦病院が何箇所かあったんですよね。たとえば東京都北区、現在の東京都北区立中央公園の一帯は当時は米軍の「王子キャンプ」として提供されており、ベトナム戦争中はキャンプ内に野戦病院も置かれていました。

池上　ええ。だから当然そのような施設を日本国内に作らせるなという批判がありました。そのタイミングで今度は佐藤首相が東南アジア諸国を外遊することになり、そこにベトナム戦争の当事者であり、アメリカの傀儡国家と見られていた南ベトナムも含まれていた。

それに対して新左翼の各党派、特に中核派が、佐藤首相の南ベトナム訪問を阻止するための闘争を開始しました。

そしてこの時に中核派と機動隊が衝突して、当時中核派の活動家として闘争に参加していた京都大学一年生の山崎博昭君が死んでしまった。

山崎君の死因については中核派と警察では言い分が百八十度食い違っており、警察の言い分では中核派活動家が機動隊の装甲車を一台乗っ取り、その車が山崎君を轢いてしまったとされています。実際に運転していたとされる学生は逮捕されるのですが、立件できず不起訴になりました。

一方で中核派サイドは山崎君が機動隊によって虐殺されたのだと一貫して主張しており、この主張は少なくとも当時はかなり信じられていました。

警察発表では山崎君の遺体にあったとされる「轢殺痕（タイヤ痕）」について、彼の遺族と弁護士が「存在しなかった」と証言し、警察発表の矛盾を「社会新報」（社会党機関紙）や「朝日ジャーナル」なども報じたからです。

この事件が起きたとき私自身は高校生だったのですが、平和のため、世の中を変えるために同世代の若者が自分の命を散らしたことを知り本当に衝撃を受けました。そしておそらくは日本中にそう感じた若者たちがいて、これをきっかけに全国の学生たちが「打倒・

佐藤内閣」を旗印に何らかの運動に参加するようになりました。

ヘルメットと角材（ゲバ棒）という新左翼のスタイルもこの事件以後に定着したものです。山崎君の死因が脳挫滅であったことからヘルメットで頭部を守る必要が叫ばれたとともに、警官隊に殺される前にこちらから向こうに打撃を与える武器を持たなければいけないという意識が広まった。こうして新左翼の武装化が始まりました。

佐藤　だから**「人の死」はやはり時代を動かすんですよ。**樺美智子さんの時も政府機関は「圧死」と発表したけれど、彼女の死因に関してもいろいろな説がありますし、当時彼女の死を知った学生たちの多くは「権力に殺された」と感じたからこそ警察車両への放火まででやったわけですからね。

池上　樺美智子さんに続いて、今度は山崎博昭君が死んでしまったという衝撃は間違いなく一つの大きなきっかけでしたね。

ただ新左翼の学生たちが武装化を始めたことで、機動隊もこれを押さえ込むための装備が必要だという話になり、そこから機動隊がジュラルミン製の盾を必ず持つようになりました。新左翼も機動隊も必然的にエスカレートしていきましたね。

私自身、大学でマルクス経済学を学ぼうと志す決定的な動機になったのは、実はこの羽田闘争なんです。この事件のインパクトはそれくらい大きいものでしたね。

エンタープライズ入港阻止闘争

池上　そして一九六八年一月には、原子力空母エンタープライズが佐世保に入港するのを阻止しようとする闘争が起きます。

エンタープライズ入港阻止の闘争は、ほんの二〇年前に長崎の街を焼いた原子力を動力とし、現在も放射能漏れの危険がある潜水艦を国内に入港させてはならないという反核運動であり、同時に反戦運動でもありました。エンタープライズは日本での給油を経ていずれベトナム戦争の戦場に向かうはずだったからです。さらに一九六八年五月には、やはり米国の原潜であるソードフィッシュが佐世保に停泊時、湾内に放射性冷却水を投棄し、日本の科学者が二〇回以上放射レベルの増加を検知しています。

この闘争が始まる前には東京で「飯田橋事件」という事件も起きています。中核派の学生二〇〇人が現地佐世保での闘争へ向かうため法政大学に集合し、ヘルメットや角材で武装して無許可デモを行いながら飯田橋の駅に向かっていたところ、駅前で機動隊との衝突が起こり一三一人が検挙されるという事件でした。後に行われたこの事件の裁判は、角材やプラカードが「用法上の凶器」として初めて認められた判例になりました。

また現地佐世保でも、「角材を捨てろ」との警告を無視して米軍基地に突き進もうとする新左翼系全学連の学生たち約八〇〇〇人を、機動隊が放水と催涙ガスで阻止したことで衝突が起きています。この衝突では警察官一〇人と学生一八人が負傷し、学生二七人が公務執行妨害罪と凶器準備集合罪で逮捕されました。

もっとも新左翼だけがこのエンタープライズ入港阻止の闘争に参加していたわけではなく、社青同や総評も参加して武力によらない抗議行動を行っていました。たとえば、この頃のNHK長崎放送局には戦闘的なことで有名な「日放労長崎分会」という労働組合の分会があったんですが、ここはエンタープライズが佐世保に来た時には組合員が一斉に休暇を取得して入港反対闘争に行ってしまったそうです。

このため取材するスタッフが局からいなくなってしまうので、福岡放送局などNHKの他の局の職員が動員されて、代わりに取材を引き受ける状態でした。

佐藤　しかしそのエンタープライズ入港阻止闘争などの六〇年代後半の闘争も、共産党のほうの党史（「六十年党史」）ではこう記述されています。

〈一九六〇年代の後半には、日米支配層のあいだでは、七〇年代の日米軍事同盟の方向についての交渉が開始された。六七年十一月の佐藤・ジョンソン会談で、日米安保条約と沖縄の「施政権」返還をむすびつけて、日米軍事同盟の再編強化をはかるという構想が大き

くうちだされた。〉（203頁）
〈（社会党は）六八年一月の大会でトロツキスト・ニセ左翼暴力集団（各派）を、「同盟軍」とよんでそのかく乱行動を事実上容認する態度をとったりしたことは、統一行動にあらたな障害をくわえた。〉（249頁）

こういう評価です。

池上　当時このような抗議行動の現場に社会党・総評系の労組組合員たちが行くと必ず新左翼系の学生たちが参加していて、総評のおじさんたちからすると若者たちが頑張っている姿が頼もしく感じられて双方が意気投合することも多かったわけですよね。でもそれが共産党にしてみると、ニセ左翼暴力集団の挑発行為を容認するけしからん行為ということになってしまう。

「東大解体」がスローガンに

池上　そのように学生運動が俄然盛り上がりを見せてきたタイミングで一九六八年には東大闘争が勃発しています。東大闘争といえば学生たちが安田講堂を占拠した闘争として今でも有名ですが、あの闘争の発端がどこにあったかは、今ではあまり知られていないかもしれませんね。

　東大闘争は医学部の研修医問題が発火点でした。当時の東大医学部が国家試験に合格したばかりの医師を研修医として無給で勤務させていたことに対して、東大の医学部学生自治会が問題提起して改革運動を始めたのです。そして一九六八年一月、東大の医学部学生大会で登録医制導入阻止や附属病院の研修内容改善などを掲げて、無期限ストライキ突入を決議し、医学部は紛争状態に入りました。

　そうして突入した紛争中の二月に、学生や研修医たちが医局に押しかけて医局員を軟禁状態にして閉じ込めるという事件が発生し、医学部長はこの事件に関与したとされる一七人の学生を退学や停学などの処分にした。ところが、処分を受けた一七人の中に、事件当日には九州にいたのでその場にいられるはずがなかった学生が一人混じっていたことで、「これは冤罪による処分だ！」と学生たちの怒りをさらに煽る結果となった。

　しかし当時の東大医学部というところは今よりもはるかに傲慢でしたから、学生が処分撤回を求めても取り合おうとしませんでした。それで怒った一部の急進的な学生が、事態打開のために六月一五日に安田講堂を占拠したわけです。

　これに対して当時の大河内一男《おおこうちかずお》総長――実はこの人もマルクス経済学者なのですが――は直ちに機動隊に出動を要請し全員追い出してしまった。しかしこのことが一般の学生の怒りにまで火をつけてしまう結果となり、七月二日には新左翼系の学生ら二五〇人が学内世論も味方につける形で安田講堂をバリケードで封鎖しました。そして同五日には東京大学大学院の博士課程で物理学を専攻していた山本義隆《やまもとよしたか》[12]を議長とする東大闘争全学共闘会議（東大全共闘）が結成され、複数の学部で無期限ストに突入しました。

佐藤　今の大学生の感覚なら警官が学内をパトロールしていてもあたりまえの感覚で受け入れてしまうかもしれませんが、当時は大学の自治というものが今とは比べ物にならないほど尊重されていましたからね。大学当局が大学の敷地に警官隊を招き入れ、学生を実力で排除させるなどということは許されないという感覚は一般学生の間でも広く共有していました。

山本義隆

池上　そうですね。東大闘争よりだいぶ前の時代の話にはなりますが、そうした「大学自治」を尊重する感覚が共有されていたからこそ起きた事件に、一九五二年二月の「東大ポポロ事件」があります。当時東大の学生劇団であった「ポポロ

12　山本義隆（一九四一〜）：一九六八年の東大闘争で東大闘争全学共闘会議議長となり、安田講堂封鎖解除をめぐる機動隊との攻防戦を指揮。のちに全国全共闘議長にも選ばれた。

劇団」が大学の許可を得たうえで、学内で松川事件をテーマにした演劇をやったところ、その劇の上演中に、観客の中に私服警官が四人潜り込んでいるのを学生が発見し、身柄を拘束したうえで警察手帳を奪い暴行を加えた。しかも奪った警察手帳のメモから少なくとも一年半以上前から警察が東大の学内を密かにパトロールしていて、学生の思想動向等の調査を行っていたことが判明しました。

佐藤　この事件では私服警官を殴った罪で学生二人が起訴され有罪判決を受けているのですが、そのうちの一人が千田謙蔵《ちだけんぞう》。一九七一年に秋田県横手市の市長選に社会党から出て当選し、五期二〇年務めた人です。

池上　いずれにしても、東大闘争ではそうした学生の感覚を無視して大学当局が機動隊を動員したことで収拾がつかなくなりました。

そして七月一五日、東大全共闘は大学当局に医学部処分の撤回や機動隊導入の自己批判などを求める「七項目要求」を突き付け、当局は八月一〇日に七項目要求のうち文学部の学生処分に関係する一項目を除いては受け入れる解決案を示しましたが、全共闘が拒否したことで決裂。そのまま膠着状態に入り、一〇月上旬には全共闘主導により法学部を含む全一〇学部の自治会が無期限ストに入りました。

そして全共闘はこの頃から単に大学の自浄能力強化や大学自治の拡大ではなく「東大解

体」をスローガンとして掲げるようになりました。

ニセ左翼と「権力の泳がせ論」

佐藤　しかしこのときも、民青は全共闘と対立し、封鎖に反対するどころか鎮圧に手を貸しています。共産党の公認党史である「六十年党史」では、東大闘争を次のように記しています。

〈……東京大学では、六八年一月に医学部でインターンの無権利状態に反対し、民主化をもとめるストライキがはじまり、六月には医学部などのトロツキストが安田講堂を占拠したのを口実に東大当局が機動隊を導入したことから、各学部がつぎつぎにストライキにはいった。政府は、十二月、東大当局に圧力をくわえて「入試中止」をおしつけるなど不当な干渉をくわえた。東大では、学園の真の民主化をめざす学生、大学院生、教職員の努力がみのり、トロツキスト、ニセ左翼暴力集団の挑発、かく乱を排しつつ、七学部代表団と大学当局による予備折衝をおこない、自主解決の機運を急速にもりあげた。こうして、六九年一月、学生や院生も大学の自治を構成する要素として固有の権利をもつことをみとめる東大「確認書」をとりかわした。

東大では、学生、教職員がみずから暴力集団の襲撃を阻止し、校舎封鎖を解消するためたかいをすすめ、一月九日には、七学部代表団と大学当局との交渉を妨害するために各地から二千人をかきあつめて経済学部、教育学部をおそった暴力集団の襲撃を正当防衛権を行使して机やいすのバリケードなどではねかえした。こうして入試や授業再開の条件がつくられたが、政府は「確認書」を攻撃、入試中止を強行させた。しかし、東大「確認書」は、あたらしい大学自治のあり方をしめすものとして、その後、全国の各大学にひろがり、大学民主化のうえで大きな役割をはたした。党は、これらの闘争が正しくすすむよう積極的に援助した。〉（252～253頁）

要するにバリケード封鎖や暴力的な手段を使っていたニセ左翼を我ら共産党は退治して、授業を正常化させたのだと自慢しているわけです。

池上　ですからこの東大闘争の時も、本郷キャンパスでは全共闘と、民青の実力部隊である「あかつき行動隊」が激しい乱闘を繰り広げていました。共産党系はみんな黄色いヘルメットを被っていたのに対して、全学共闘会議のほうは中核派や革マル、社青同解放派など様々な党派の寄り合い所帯でしたが、この時は「民青対全共闘」の図式で、双方とも角材や鉄パイプを手に暴力的にやりあった。

私は当時高校三年生でしたけれど、学生運動内部で内ゲバ、つまり学生同士の激しいゲバルト闘争が起きているとニュースで大々的に報道されたのはこの東大闘争が初めてだったはずであり、それゆえにこれも大変な衝撃でした。

佐藤　あのとき社青同協会派も全共闘の側に加わり共産党・民青と対峙しました。だから同じ左翼でも、共産党とそれ以外の党派では全共闘の評価がまったく違うわけですよ。共産党はとにかく全共闘のことをニセ左翼暴力集団、トロツキストと貶め、大学当局と手を握って彼らの排除に成功したことが闘争の最大の成果だなどと誇っていた。

池上　共産党は新左翼の学生のことは基本的に「ニセ左翼」呼ばわりして忌み嫌っていましたね。共産党の理屈でいうと、新左翼が暴力的な行動をすればするほど、警察の権力は強まっていき、機動隊の装備・人員も潤沢な予算を獲得して充実し、左翼を取り締まるための法律も整備される。だから新左翼は結果的には警察権力に手を貸しているし、警察も自分たちにとって都合のいい新左翼を敢えて徹底的には取り締まらず泳がせているのだという「権力の泳がせ論」で批判し、敵対していました。

佐藤　これは戦前の社会ファシズム論、社会民主主義主要打撃論の変形ですよね。戦前の共産党も、社会民主主義に対してファシズムと表裏一体のもので、資本主義を打倒するにはまずこちらを打倒し、革命の隊列を一本にしなければいけないと攻撃しました。

戦後も新左翼に対してそれと同じ理屈を持ち出し、まず鎮圧すべきは新左翼であり、こいつらを倒さないと革命も始められないのだという論理を補強していったのです。

ですからこうしてみると、日本共産党というスターリン主義政党が、時代の節目ごとにある特定の役割を果たしていることがわかります。つまり「挑発分子がいるせいで革命が進まない」といった議論が左の陣営に起きた時に、革命家の問題は革命家の内部で処理しようと考えるのではなく、「国家権力の革命的利用」といったロジックを持ち出して権力側と結託して叩き潰す側に回ってきたのだということです。

「東大生がほとんどいなかった」安田講堂事件

池上　東大闘争の顛末については先ほど佐藤さんが紹介してくれた共産党史の中でも触れられていましたが、一応ニュートラルな視点からも話しておきましょう。

一〇月の全学スト突入で混乱の極致となった東大では、六八年一一月一日に大河内総長以下学部長全員が辞任し、法学者の加《か》藤一郎《とういちろう》が総長代行となり事態の収拾を図り、加藤代行は一一月中旬、学生側に全学集会の開催を呼びかけました。

これに応じたのが民青系の学生が組織する「東大民主化行動委員会（行動委）」です。行動委はストが長期化する中で「大学解体」論まで叫び始めた全共闘についていけないものも感じていたノンポリ学生も糾合する形で、各学部から「統一代表団」を選出する運動を始めました。

その過程となる六八年の年末には旧文部省が大学側の意向を無視して翌年春の東大入試を中止すると発表し、東京教育大学（現在の筑波大学）も体育学部を除く全学部の入試中止を決定しました。

そして翌六九年一月一〇日に国立秩父宮ラグビー場で「東大七学部学生集会」が開催され、ここで加藤代行と統一代表団が「確認書」を交わしました。確認書は、医学部処分の白紙撤回のほか、文学部処分については再検討すること、闘争でのストをはじめとした学生の抗議行動については大学側の「重大な誤り」を認め処分を行わないこと、大学自治活動の自由を認めること、「産学協同の否定」といった、大学の管理運営についても見直すことなど一〇項目から成っており、この確認書が交わされたことで各学部のストは続々と解除されていきました。

一方で全共闘は少数派となった後も闘争継続を主張して安田講堂などの校舎の占拠・封鎖を続けており、全共闘の説得は不可能と考えた加藤代行は一月一六日に警視庁に機動隊の出動を要請します。これにより一月一八日から一九日にかけて、機動隊による安田講堂の突入とバリケード解除、そして全共闘学生の大量検挙が行われました。

この安田講堂事件では警察官側の負傷者が七一〇（うち重傷三一）、全共闘側負傷者が四七（うち重傷一）におよび、逮捕された全共闘学生は四五七人に上りました。また、このうち一三三人は一審で実刑判決を受けました。

ただ安田講堂事件では、講堂に立て籠もっていた学生たちが機動隊に排除された後、逮捕された学生の中に東大生がほとんどいなかったので世間は唖然としたんですよね。「東大闘争」だから安田講堂にいるのも当然ほとんどは東大生なのだろうと思っていたら、実は東大全共闘の主要メンバーたちは機動隊に踏み込まれる直前、東大を解体するための闘争を続けていくためにも今ここで捕まるわけにはいかないという理屈でほんの数人だけを残して脱出していた。

全共闘議長の山本義隆も、本人は残留を希望していたそうですが、機動隊導入の直前にすでに逮捕状が出ていたことから「組織防衛」のために脱出することになりました。代わりに捕まったのは、全国から集まって立て籠もっていた他大学の学生たちでした。しかも「逮捕されても三泊四日で出られるから心配するな」などと言われていたのに、この事件で勾留期限いっぱいの二三日間ずっと勾留されて起訴・有罪判決まで受けてしまい、このせいで人生を棒に振ってしまった人がたくさんいました。

佐藤　でも二三日で済んだのは当時まだ甘かったですね。今同じことをやったら、なんだかんだと理由をつけられて一年はぶち込まれますよ。

池上　（苦笑）。その中で最後まで安田講堂に残った数少ない東大生のひとりが、「安田講堂防衛隊長」に指名されていた医学部生・今井澄《いまいきよし》であり、今井は逮捕・勾留され、のちに有罪判決を受けて一年服役もしています。

ただ今井はのちに復学して医師免許を取得し、医師としては長野県茅野市の公立諏訪中央病院の院長を務め、院長職を辞した後は社会党から選挙に出て当選し参議院議員まで務めています。

安田講堂が落城する寸前に全共闘が講堂時計台の放送設備を使って放送した最後のメッセージ、「我々の闘いは勝利だった。全国の学生、市民、労働者の皆さん、我々の闘いは決して終わったのではなく、我々に代わって闘う同志の諸君が、再び解放講堂から時計台放送を真に再開する日まで、一時この放送を中止します」は今井が書いた文面であるといわれています。

安田講堂から消えた革マル派

池上　そして安田講堂を占拠し立て籠もっている各派全共闘には、機動隊が突入する直前まで革マルも加わっていたのですけど、実は革マルも突入前日、「組織を維持しなければいけない」という理由でみんな脱出しているんですよね。
だからごっそり捕まった時に、東大生だけでなく革マルもいないことがわかって、この時から革マルは全共闘内部で「裏切り者」と言われるようになった。
佐藤　「第二民青」と揶揄もされましたね。
池上　そう。だから革マルはその批判に耐えかねて、仕方なくごく少数のメンバーがアメリカ大使館に忍び込んで垂れ幕をぶら下げるなどのことをやってマスコミに報じさせた。これは「我々も戦っているぞ」という姿勢を見せるための半ばパフォーマンス的な闘争でした。
佐藤　でもやっぱり革マルには嫌われやすい体質はありますよね。
池上　ありますね。私は安田講堂事件のあった六九年の四月に大学に入っているのですが、私の高校の同級生で早稲田に入った連中からは、革マルについていろいろな話を聞かされました。
佐藤　私の時代はもう、革マルは完全に秘密結社化していて、なかなか姿を現さなかったですね。革マルの公然活動家は中核派の非公然活動家と同じぐらい地下に潜っているという言われ方が、当時されていました。
ただ、こぶし書房から出ている革マルの本はちょっと大きい本屋に行けば必ず置いてありましたから、影響力は依然として強いものがありました。

「日大アウシュヴィッツ」という揶揄の声

池上　そしてこの東大闘争とほぼ時期が重なる一九六八年五月から六九年春にかけては、東大闘争とならぶもうひとつの代表的学園闘争であり、規模としては最大となる日大闘争も勃発していました。

佐藤　この日大の話は本当にとんでもない話で……取り締まる側である警察さえ、最初は学生たちに同情的だったと警察官たちが回顧録にも書いています。

池上　引き金になったのは六八年四月一五日の、「日大に二〇億円の使途不明金、国税庁特別監査で発覚」という共同通信のスクープ記事でした。

当時の日大では各学部が独立採算制を敷いており、各学部は入学金や授業料、寄付金の一割だけを本部に納め、残りの収入の一部を裏の帳簿で運用していました。その事実を国税局がかぎつけて監査したところ、大学全体での使途不明金が一九六三〜六八年までの五年間で約二〇億円、最終的に三四億円もあったことが発覚しました。

そしてその裏金は、教職員組合へのスト破りに使う「組合対策費」や学生運動を妨害する目的で体育会や応援団に特別に充てられる「学生対策費」、そして日大のトップである

秋田明大

古田《ふるた》重二良《じゅうじろう》会頭を通じて政財界に献金される「社交渉外費」などとして使われていたこともわかりました。

　それで日大の学生たちが怒るのですけど、これは無理もないんです。なにしろあの頃の日大ってとても学費が高かったんですよ。

　しかも日大は、学生を集めるに当たっても定員をほとんど守っておらず、入学定員の何倍にもあたる学生を入学させていました。だから学生たちは、新学期の四月にはどの教室も溢れかえっているのでまともに講義を聴けなかった。それが五月、六月になると大学に来なくなる学生が増えて結果的に教室に収まるだけの人数になっていくわけですけど。しかし、すごく高い学費を取っておきながらそんな状態だったわけですからね。「俺たちからむしり取ったカネをそんな後ろ暗い目的に使っていたのか！」と学生たちが激怒して、日大ではノンポリの学生たちも一挙に立ち上がり、日大の全学共闘会議が組織されました。

　議長に選ばれたのは秋田《あきた》明大《あけひろ》[13]という広島県出身の経済学部生でした。

佐藤　東大全共闘議長の山本義隆が当時から将来を嘱望されていた俊英の物理学者で、マルクス主義にも通暁していたのに対して、秋田はマルクスもレーニンもかじった程度だったそうです。しかしその彼が日本最大の学生運動のリーダーになった。

池上　その秋田をリーダーにした日大全共闘が大学当局と闘争することになる前の段階で、使途不明金問題について学生側が当局に説明を求め、神田三崎町にある当時の日大本部に大挙押しかけたことがありました。

ところがそうして集まった学生たちを、日大の体育会、つまり相撲部や柔道部所属の学生が角材で、しかも新聞社やテレビ局の記者たちが取材に来ている目の前で襲撃したんです。殴られた学生は流血し、次々に救急車で運ばれていきました。これが大変なスキャンダルになると同時に、世論は日大全共闘に同情を寄せました。

佐藤　二〇一八年には、日大アメフト部の選手が関西学院大学との定期戦で監督の指示のもと関学選手に意図的に危険なタックルを仕掛け負傷させる事件が起きていますが、あの事件の際にも、日大の田中英壽《たなかひでとし》理事長が日大相撲部出身のアマチュア相撲界の大物であり、日大相撲部監督時代に絶大な権力を得たことが話題になりました。

日大という大学は昔も今も相撲部、柔道部、応援団などが特別な力を持っているわけで

13　秋田明大（一九四七〜）：一九六八年に日大全学共闘会議議長となり、東京両国の日大講堂で三万人参加の大衆団交を指導。一九六九年に逮捕されたが、獄中で全国全共闘副議長に選ばれた。

すが、そうなったのが不思議ではない歴史がありますね。

池上 だからあの頃の日大では、体育会が大学の治安維持組織として機能していたんですよね。大学の中を体育会の連中がパトロールして、女子学生がちょっと派手な格好をしていると「お前その格好は何だ！」と叱りつけるようなことまで実はやっていた。そうした状況を「日大アウシュビッツ」と揶揄する声もありました。

そうした体育会が強い大学だけに警視庁の警察官には実は日大出身者がかなり多いのですけど、この件に限っては争いの発端にしても、体育会に全共闘を襲撃させたことにしても、あまりに大学側のやることがひどかったので警視庁の機動隊員まで当初は日大の学生に対して同情的でした。だから日大闘争でも全共闘は大学施設をバリケード封鎖したものの、警察側はある時期までは学生の検挙よりも解散させることを重視していたといわれています。

それが変わったのが、一九六八年九月四日に起きた、機動隊員の死亡事件でした。この日、経済学部本館のバリケード封鎖解除に出動していた機動隊員一人が、学生が校舎四階から落としたコンクリート片を頭部に受けて殉職してしまった。この事件以後、警視庁は日大全共闘に対する徹底的な取り締まりを開始し、秋田ら全共闘委員八人がこの事件に関与した容疑で同年一二月までに逮捕されました。しかし、警官が亡くなった事件の裁判では八人に現場にいた証拠がなく全員の無罪が確定し、未解決事件となっています。

この秋田の逮捕によって日大闘争は鎮静化に向かい、翌六九年の春までにはほぼ収束しました。また、同じく六九年一月の安田講堂事件もあり、全共闘の勢いも失われていきました。

「マスプロ大学」への怒り

池上　日大全共闘の闘争は、この時代にちょうど進行していた「大学の大衆化」を象徴する出来事でもあったのでしょうね。

戦前の日本の大学進学率は一〇％に届かず、大学への進学は言ってみれば一握りのエリートだけに許された特権でした。それが高度経済成長時代に入ったこの頃から日本各地に急速に大学が増えていき、六〇年代後半には男子学生の大学進学率が二〇％台後半、女子の進学率も一五％を超えるまでにようやくなりました。そうしたなか日大では立て続けに新学部を開設してはさらに多くの学生を集める拡張のサイクルを繰り返し、この頃から言われ始めた「マスプロ大学（マスプロダクション＝大量生産）」の代名詞的存在となりました。

ところがそのための資金となると、日大にかぎらず当時の私立大学の大半が学生の授業料に依存していました。今でこそ国が私学に対しても様々な助成をするようになりましたが、昔はそんな制度はなかったので、学生を定員の何倍も入学させてなるべく多くの入学金や授業料を徴収し、そのお金でまた次の学部をつくるというスキームだったのです。
しかしそんな定員の何倍もの学生を入れてしまうようなシステムで質の高い教育などできるはずがなく、そのことに学生たちはもともと不満を感じていました。その不満が、大学当局の使途不明金の存在が明らかになったことで爆発したということですよね。

佐藤　日本大学全学共闘会議は「日大闘争の意義と任務」という宣言文を六八年九月に発表しています。当時の日大生が大学当局による乱脈経営と学費の私物化に対してどれほど怒っていたかはここからも読み取れます。

〈この闘争を開始する以前の我々の置かれていた状況はどんなものであったのであろうか。古田は「日大には学生運動がない」ことを最大の誇りにしていた。その裏には「学生心得」とそれを保障する体育会＝暴力部隊による学生自治活動の圧殺があった。高い学費と学生増員による莫大な取入、それを古田が思うように動かして手下を作り彼の独裁体制の維持を計《〔ママ〕》っていた。学問や研究、教育は「日大精神」の下に統一され、そのことを唯一の条件とし、その他は全くデタラメな運営しか行なわない。「日大精神」という反動的で、かつ抽象的なものを基礎にして、彼の思うがままの大学運営を行なってきたのだ。彼

と思想が合わなく気にくわないものは、あらゆる暴力を含むあらゆるしめつけによって学内から追い出してしまう。〉

〈……我々の打倒対象である古田体制は、理事会や指導委員会のみならず、諸々の学生組織をもその中に抱括《〔ママ〕》している。体育会や応援団、さらに自治会や学生会までも彼らの支配の道具になっていた。〉

〈古田体制を解明するならば、帝国主義政策の先兵、帝国主義者に反抗せず支配者の言いなりになる人間の養成の場としてこれまでの日大を位置づけ、そして教育内容、機構、学生対策等にわたりそれを保障する総体として存在した体制のことを言う。現在の帝国主義的教育改編は、日大型への大学の全面的改編を意味している。〉

〈日大の総資産は二百七十七億（一九六六年現在）にも及ぶ。そのうちに建物があり、土地は北海道から九州までの土地である。また土地の評価価格はその当時のままであり現在の価格から言えば一千億ぐらいにはね上がるものが多くあり実際の資産は全く莫大なものとなるのである。会社の純益にあたる「繰越金」は四十一年度においては六十四億にものぼる。このように学生授業料からの収奪を行う一方、桜門事業部なるものを作り、その株式会社なるものに投資し、学生から二重の収奪を行なっている。更に「日本大学教育後援会」を昭和三十七年に発足し財界との接触をもち、また日本会、総調和会と政界を始め各分野にも影響力をもっている。このように日大は営利主義と帝国主義の砦的大学となったのである。これを貫徹させる為に学生への弾圧、自治破壊等を制度的、暴力的、イデオロギー的攻撃をかけている。〉

ところで日大全共闘の特徴のひとつに、後世の人間でも闘争の過程をごく容易にトレースできる点がありますね。なぜかというと、日大芸術学部映画学科の学生たちから成る「日大全共闘映画班」が大半の過程を撮影し、『日大闘争の記録』というドキュメンタリー映画として残してくれたから。

これが映画として本当によくできていて、続編の『続・日大闘争の記録』では福島県郡山市にある工学部の学生が気の毒にもたった一二人で校舎に立て籠もり、機動隊から放水車で砲水されて逮捕されるところまでカメラに収めているんです。今はYouTubeでタイトル検索すれば無料で観られますので読者には是非観てほしいですね。

東大・日大闘争が生んだ運動のダイナミズム

佐藤　一方で東大全共闘の闘争の動機はかなり日大と違いますよね。

池上　違いますよね。今の国立大学法人とは違って昔の国立大学はあくまで国から割り振られた予算制の枠内で大学運営しなければいけないので、定員は私大と違って厳密に守っていましたし、学生たちも授業の質にそれほど不満をいだいていたわけではありませんでした。

佐藤　その代わりに東大全共闘の場合は、東大という機構が帝国主義的な階級意識を再生産する役割を担っていることに対する強い疑念と、そこで学んでいる自分たち自身もまたそのシステムの一部であるがゆえに自己否定しなければいけないという内在的動機が学生たちの側にありました。

池上　東大全共闘が闘争の途中から「大学解体」を叫ぶようになった理由などは、その動機が学生たちの自己批判から発していることを知らないと、今の若い人たちにはピンとこないかもしれませんね。

佐藤　ブントのML派（マルクス・レーニン主義派）によって組織されたと見られる東大全学解放戦線の「帝国主義大学解体と学園闘争の戦略的課題＝二重権力の創出」（「プロレタリア権力」一九六八年一二月二〇日）は、そのあたりの意識が強く表出しています。

〈帝国主義教育秩序の第一の根幹は、その教育形態にある。一方的処分という形で発揮されるブルジョア論理「特別権力関係」は、教育者——被教育者という二元論的に距離をおいた「教える」ことについて自己完結した独自形式の打破なしには、批判をなしえない。「教える」者と「教えられる」者という不連続的な小宇宙の形成は、ブルジョア学問のその「発展」さえが、今日の東大では放棄され官僚化されてしまっていることを生み出した根本の原因である。恰《あたか》も「学問の府」であるかのような東大は、「東京法科大学」の昔から、この一見当然としても思えるような教育形態を伝統的因習的に維持する中で、その腐臭を放ち始めているのであり、先進的学生、院生、助手の闘いは、その形態を先ずもって打ち砕こうとしているのである。鼻もちならない東大教授の特権意識（権威主義、伝統主義、学問至上主義）は、この教育形態の中で醸成されてきた。歴史の新しい前進の中でこの価値観は大転換を遂げようとしている。〉

〈……「学問の自由を守れ」「大学の自治を守れ」とか主張する日本共産党は、本来的に教育や大学がもっている階級的機能について、全く眼をつぶってしまっている。あまつさえ「学問の発展は、階級支配の原点を必死に維持しようとする支配階級にとっては、桎梏《しっこく》ともなり得るものである。ここに真の意味における学問の階級性といったものが成立する。」（東大工学部民主化闘争委員会）と現実的な大学や学問の反人民性、被支配の側にとってこそ桎梏となっている現実を全く隠蔽し、大ペテンを展開している。〉

〈われわれは、知識階級のプロレタリア的自覚を強化し、学生、院生、助手の革命的結合をおし進めると同時に、この階層が、不断に動揺する部分であることに注意を払い、絶えず労働者階級と正しく結びついているかどうかを調べていなくてはならない。「もし知識人が、労働者、農民大衆と結びつかないならば、なに一つ成し遂げられないであろう。知識人が、革命的であるか革命的でないか、ないしは反革命的であるかの最後の境界線は、かれらが、労働者、農民大衆との結合を希望するかどうか、またそれを実行するかどうかにかかっている。」（「五四運動」毛沢東）「今日自分自身を労農大衆に結びつければ、彼らは、今日は革命的である。しかし、明日民衆に結びつかないか、かえつ《〔ママ〕》て民衆を圧迫するなら、それは革命的でないか、もしくは反革命的であることになる。」（「青年運動の方向」毛沢東）のである。

この点を無視した教授—学生の連帯論は、全く階級的に空白かもしくは反革命である。〉

このようにふたつの全共闘は運動に駆り立てた動機の部分がかなり違っていたわけですが、「大学の自治を守れ」と叫んだ東大闘争と、「俺たちの学費を悪いことに使いやがって」という怒りに火がついた日大闘争という、怒りの方向性が異なる闘争が盛り上がったことで全共闘が拡大し、ほかのいろいろな大学に飛び火していったのも間違いないでしょうね。

池上　そうですね。本来であれば別文脈の闘争が同時期に発生し、結局は同じ一つのうねりになっていったところがこの時代の学生運動の特有のダイナミズムだと思いますね。

特にあの時代は、日大以外にも中央大学や明治大学、法政大学などたくさんの大学のキャンパスが東京の神田駿河台周辺に集中していましたから、それらの大学が一斉にストライキに入って機動隊と衝突することも珍しくありませんでした。そこから駿河台周辺は、パリに昔からある学生街であり、一九六八年の「パリ五月革命」では学生と警官隊の大規模な衝突が起きた場所に準《なぞら》えて「日本のカルチェ・ラタン」と呼ばれました。

この頃は学生がデモに参加すると、「待ってました」とばかりに機動隊が出てきて、催涙弾を撃たれる。だから翌日は涙がポロポロ止まらないみたいな状態ですよ。

でも、その頃はやはり世間もまだ学生にけっこう同情的でしたので、機動隊に追われて路地裏に逃げ込んだりすると、そのへんの喫茶店などが匿ってくれたりもしたんですよね。テレビディレクターのテリー伊藤《いとう》氏も日大全共闘で機動隊に追われて、路地裏の喫茶店に逃げ込んで助けてもらったそうです。

佐藤　運不運がありますからね。捕まっちゃった人と捕まらない人とではその後の人生がだいぶ違ってきます。

池上　あの時に逮捕されてドロップアウトした人たちの中に、結局就職できなくて週刊誌のライターになったような人はけっこう多かったですね。やっぱりもともとの能力が高くて、文章が書ける人がたくさんいましたからね。

佐藤　当時は出版業界自体も今のような難関企業じゃありませんでしたしね。たとえば「週刊現代」には高知聰《こうちそう》という有名な記者がいましたが、彼なんかはもともとは革マルの有名な活動家ですからね。

新左翼は就職活動に不利だったか？

池上　そんな時代でしたから、あの頃は企業も新卒採用では学生のことをものすごく警戒していましたね。

だから今では考えられないことですが、学生運動が華やかなりし頃は、入社試験で内定者を絞り込むときには必ず興信所を使って素性を調べさせていました。だから我々が若い頃は、ご近所のおばさんに「興信所がうちにあんたのことを調べに来たわよ」と教えてもらえたときは、内定に近づいている証拠と考えられていました。

佐藤　外務省も新卒者の採用時には独自に志望者の身辺を調べていましたし、家庭訪問もしていましたよ。あの調査を外務省が独自にやるのでなく警察に委託していたら、私は採用されていなかったかもしれません。

それから、元日本銀行の職員でのちに早稲田大学の教授になった岩村充《いわむらみつる》さんから聞いた話では、当時の日銀は、全共闘など新左翼系の学生は採用していたそうです。なぜかというと、彼らからすると一番来てもらいたくないのは日本共産党だから。その点で、新左翼運動をやっていたやつは日共じゃないことだけは確かだから採用しておくというんです。

池上　なるほど。

佐藤　そこは外務省も似ていて、新左翼はこだわらずに採用していましたね。というのも外務省の場合は、新人を採用するとすぐに研修のために他の国に派遣してしまうからです。そうなると、新左翼は共産党などと違って組織が脆弱ですから、入ってきた新人はそこで役所の論理に埋め込まれて新左翼との縁が切れてしまうんですよ。しかも学生時代にある程度の正義感があり、運動でリーダーシップを発揮していた人間というのは、体制側に来たら逆にすごく使えるというのは少なくとも外務省とか大蔵省（現在の財務省）、通商産業省（現在の経済産業省）などの役所は発想として確実に持っていましたね。

池上　メディアも朝日新聞と毎日新聞、共同通信は優秀でさえあれば逮捕歴があろうと採用するという姿勢でしたね。ＮＨＫと読売は、逮捕歴があるとＮＧだけど、学生運動をやっていたこと自体は別に構わないという感じでした。

佐藤　朝日や毎日や共同にしても、起訴までされていたらさすがにダメだったでしょうけどね。製造業でも三菱造船の長崎造船所（現在の三菱重工業長崎造船所）などでは、当時、新左翼系の第三組合というのができましたね。

池上　ありましたね。労働者が同僚をオルグして組織する第一組合はだいたい共産党系か総評系であるのに対して、第二組合は多くのばあい第一組合に対抗させるために企業側が裏で子飼いの社員に命じて作らせる御用組合でありあからさまな労使協調路線。それに対して共産党系でも労使協調路線でもない第三組合が新左翼系の従業員によって結成された会社がたしかにありました。

佐藤　新左翼系である以上当然戦闘的なので会社とするとこれも相当に面倒くさいのですけど、民間企業が一番嫌うのはやっぱり共産党系でしたよね。なぜなら組織がしっかりしていますから。

要するに企業という組織は二重忠誠をものすごく嫌うんですよ。会社以上に忠誠を誓っている対象を持っている人を採りたくない。創価学会の会員がある時期まで就職で不利だったのもそれが理由でしょうし、今だって入社試験で「普段どの新聞を読んでいますか？」と尋ねられ、宗教団体の機関紙の名前を挙げるような人は落とされるでしょう。それは思想・信条の問題とは無関係に、二重忠誠の問題があるからです。

そもそもあの頃は就職活動では必ず支持政党を聞かれましたよね？　今では信じられな

いことですけど。

池上　支持政党、聞かれましたねえ。

佐藤　だから向坂逸郎があの頃に書いたエッセイでは、「支持政党を訊かれて「自民党左派です」と（存在しない党派の名前を）答えた学生がいるらしいけど、最近「民社党」という政党ができたから、就職活動の時に支持政党として挙げておくにはちょうどいいだろう」と当時の若い読者に皮肉を言っているんです。

池上　そう。それは我々の頃にさかんに言われたんですよ。要するに「支持政党を書け」と言われて「自民党」と書くと「こいつ学生のくせに自民党支持なのか」と企業の採用担当者からもあまり好感を持たれない。かといって社会党や共産党と書いてしまうと絶対に就職できない。その点、民社党と書いておけば穏健な中道路線として受け取られるだろうからこう書いておけばいいと言われていました。

佐藤　たしかに当時の民社党って、その後の極右みたいになった民社党とは違いますからね。この頃はまだ自民党と社会党の中間くらいのイメージで、後年定着した自民党よりも右寄りというイメージの政党ではありませんでした。

社会党への支持の冷え込み

池上　ただ学生運動が盛り上がり、都市部ではさきほど述べたような学生運動への一定のシンパシーも集まっていたのとは対照的に、日本全体という規模で見れば、この頃から世間一般が社会党に向ける目は冷ややかになり始めていたように思います。全共闘の学生たちの警官隊と激しく衝突する姿が「過激な集団」というイメージでマスメディアに報じられる中で、社会党は彼らを応援しているんじゃないか、衝突は社会党も一緒になってやっていることではないかと見られるようになっていった。

特に地方の保守的な人たちのあいだに、社会党はいったい何をやっているんだ、社会党という政党は実は極左なんじゃないかという疑念が広がっていった印象があります。

あるいは総評が決行するストなどに関しても、六〇年代半ばまでの労働組合やストライキに対する世間の寛容な視線がこのころから薄れていき、逆にストに反発する空気が高まっていたように思えます。

だから前年の衆議院選に続いて一九六八年七月七日に行われた第八回参議院選挙でも結果は芳しくありませんでした。社会党から分離した民社党がそれなりの数の票を得た一方で、この選挙では社会党が大きく議席を減らしてしまいました。

佐藤　あともう一つ、社会党以外の野党の選択肢が増えたことも影響しているでしょう。公明党と民社党という。

池上　たしかに全共闘の時代を境にいわゆる多党化が始まりましたね。民社党もそうですが、公明党も急激に伸びてきた。

おそらく高度経済成長により日本人の価値観や考え方が多様化し、なおかつ「自民党対社会党」という対立構造も完全に定着していた時期にあって、自民党のやり方に疑問を持ってはいてもだからといって社会主義は受け入れがたいという人はその当時の日本にはたくさんいた。そうした「平和は大事だけど社会主義はちょっと……」という価値観の受け皿に公明党がなれたから、という面もあったのではないでしょうか。

ただこうやって学生運動が急激に盛り上がった中で、実は創価学会の青年部に所属する若い会員たちが、新学生同盟（新学同）という党派を結成して学生運動に参加したこともありましたよね？「新学同」と書かれたお揃いの白いヘルメットを被って、明治公園に何千人も集まったことがあった。あれは驚きました。

佐藤　新学同に関しては、実は大石寺《たいせきじ》で池田《いけだ》大作《だいさく》会長が直々に観閲式をやっていて、たしか『新・人間革命』にもその描写があります。

池上　それは知らなかったですね。しかし、創価学会って平和志向の穏健な団体なのかと思っていたら、若い会員たちが新左翼さながらにヘルメットで防御して学生運動を始めてしまうのですから、あれは本当に驚きでした。もちろん新左翼のように角材を手にして機動隊と衝突したりはしなかったのでしょうけど、当時の社会状況を見て彼らも佐藤内閣と戦いたいという熱を抑えきれなかったということなんでしょうね。

社会党は「風に耐える政党」になれるか

佐藤　社会党は一九六七年の衆議院選挙で負けていますが、その選挙については、『日本社会党の三十年』で以下のように総括しています。

〈かつて成田書記長は、社会党の欠陥として①議員党的体質、②労組依存、③日常活動の不足の三つをあげ、徹底克服を呼びかけた。そして社会主義政党への党体質の改善、党組織の確立は〝一〇万の党員、二〇万の社会新報〟からつくられると決意したのである。しかしこの三つの課題は、いまだ基本的に克服されていない。……五〇人もの大量次点者を出した今次総選挙をふりかえる時、われわれは選挙戦術の巧拙をこえた党の力不足を率直に認めざるを得ない。〉

〈今回の選挙は一般的には〝黒い霧〟解散といわれ、社会党をはじめ各野党は有利とみられていた。自民党は非常な危機感をもって候補者を厳選するなど全力をあげてたたかい、民社、公明、共産の各党も躍進の好機と考え、それぞれの支援組織をふくめて必死にたたかった。一方、わが党は〃社会党有利〃という一般的状況を過大評価し、このような状況をわが党の得票として具体化するという積極的な活動が充分ではなかった。そのため保守陣営を効果的にきり崩すことができず、さらに反自民党に変化した人びとをもわが党に集中できず、多くを民社、公明、共産の各党に奪われる結果となった。これはわが党の選挙にのぞむ姿勢の〃甘さ〃と、党の組織的弱体がその主たる原因である。〉（554頁）

これはつまり「風に耐える政党」でなくてはいけないという反省が、この衆議院選と参議院選で出てきたということでしょうね。もちろん新左翼への反発も風の一つであることには変わりませんから、そうした「風」に耐える組織力を持たないといけないと痛感したんでしょう。

民社党だったら同盟（全日本労働総同盟）、公明党は創価学会を支持母体にしていますし、共産党もしっかりした組織を持っている。それが本気になって切り崩しにくるとなかなか勝てないという総括ですね。

池上　そういう新左翼との関係で批判を受けて選挙で伸び悩むとなれば、社会党としても新左翼を重荷に感じてもいいはずなのだけど、社会党は彼らを切り離す選択はしなかったわけですね。

佐藤　切り離すと、人がいなくなってしまいますからね。だって社会党員なんて、この頃にはすでに五万人ぐらいしかいませんでしたし、「社会新報」だって、公称一〇万部ぐらいしか出ていなかった。実数はせいぜい数万部でしょう。

それに対して共産党員の人数は当時四十数万人で、「赤旗」は最も多い時には四〇〇万部ぐらいあったはずです。組織力の点では全く差がありました。

だからこそ社会党と総評は一九六五年に「反戦青年委員会」という組織を作って、そこには新左翼も受け入れることで組織拡大を図ったのですが、結果的にこれは、第一章で述べた理由で新左翼が過激化する一因を作ってしまいました。

共産党は反戦青年委員会から育っていた新左翼が内ゲバに走り、自滅していったことを根拠に、従来から唱えていた「新左翼＝ニセ左翼暴力集団」論の主張をますます強めていきました。そして社会党もそこまでいってしまったことで、結果的に反戦青年委員会および新左翼運動全般とも距離を置くようになったのです。

第三章
新左翼の理論家たち

自分の命を投げ出し、人殺しも正当化する——。
左翼知識人の理想・思想は、なぜ殺人の知的武装へと堕ちたのか。

池上青年と労農派マルクス主義

佐藤　ところで、第二章で紹介した学生運動は大学だけの話ではなく、ピーク時には東京や大阪の進学校を中心に高校にも波及しました。池上さんの出身校である都立大泉高校でもあったのではないですか？

池上　そうですね。私がいた頃の大泉高校はブント系の「黎明派」という党派のシンパがいました。

私が入学して最初の朝礼には生徒会長が片腕を肩から包帯で吊るした状態で登壇して、「この腕は前日に機動隊との衝突で骨折したんです」と説明した後はずっとアジ（アジテーション）演説をしていました。初っ端からそんな話を聞かされて、新入生はもう一同唖然でしたよ。

しかしそういう環境でしたから、私も自然と「今のこの世の中は変えなければいけないんじゃないか？」との思いを抱くようになり、そこからマルクスや日本資本主義論争の本なども読み始めたわけです。そうすると資本主義の理解の仕方も講座派と労農派では全く違っていて、両者は戦後の日本についても「対米従属」なのか、「独立した帝国主義」なのかで見方が割れている、そして革命の方法論も違うのだということがわかり、どちらの言うことが正しいのかを高校生なりに、まだ十分理解できないままではありましたけれど考えるようになりました。

そしてそのうえで、労農派の分析のほうがおそらく正しいのだろうという結論を自分なりに出して、労農派のマルクス経済学について深く学びたいと思うようにもなったんです。

ところが同じ労農派のマルクス経済学の理論家でも、向坂逸郎と宇野《うの》弘蔵《こうぞう》ではまた微妙に違うんですね。

宇野経済学の場合、経済学研究を原理論・段階論・現状分析という三つの段階に分けることに特徴があり、私はこれを学べばより現代に合致した資本主義の分析ができそうだという理由で強く惹かれました。そこで当時の日本でどの大学に進めば宇野理論を学べるのかを調べたところ、東京教育大学（現在の筑波大学）文学部の経済学科に宇野弘蔵の弟子である長坂聰《ながさかさとし》さんがいることがわかった。だからそこを目指して、受験勉強を始めたんです。

ところが教育大は筑波研究学園都市への移転を巡って、学生側が「移転反対」と「審議過程の民主化」を訴えて一九六八年六月に全学ストライキに突入し、年末の、国立大学願書受付期限の三週間前というタイミングで体育学部を除くすべての学部で翌年の入試中止が決まってしまった。

佐藤　体育学部はキャンパスが他の学部とちがう上に、大半がノンポリ学生なのでストには関与しなかったからこの入試は中止にならなかった。でも、だからといって長坂聰の講義も受けられない体育学部に行こうとはちょっと思えないですよね。

池上　私もそう考えて教育大には結局行かなかったのですけれど、後で聞いたところではとにかく教育大に入学さえしておけばいずれ転部だってできるだろうと考えた受験生も多かったようで、この年だけ教育大体育学部の偏差値はグンと上がったのだそうです。

それはともかく、東京教育大学が選択肢から消えてしまったので他に宇野派の先生がいる大学はどこかないか、と探し始めたのですけど……。

佐藤　東大の文科Ⅱ類に進めば宇野派の教授がたくさんいたのでしょうけど、東大の入試も安田講堂事件で中止が決まってしまいましたからね。

池上　そうなんです。教育大も東大も入試がなくなって、じゃあどうしようかと思って早稲田の政治経済学部と慶應の経済学部について調べてみると、早稲田の政経はマルクス経済学の研究者は批判的な立場から研究している人が一人いただけで、他には全くいなかったんですよ。

佐藤　早稲田という大学は伝統的にリベラルな学風で学生運動も盛んだった割に、経済学科は近経（近代経済学）の牙城なんですよね。というのも早稲田はどんなことでも東大とは別の道を行こうとするから、当時の東大経済学部の代名詞でもあったマル経の学者は意図的に迎えなかったんです。しかも近経の中でも特に計量経済学が強くて、あの頃の早稲田政経で経済を研究していた世代だとみんな数学が得意で統計学をやっている人たちばかりでした。

池上　そうなんですよ。だからこれは違うなと思って次に慶應を見たら、慶應の経済は近代経済学とマルクス経済学の先生がちょうど半々だったんです。しかも当時の経済学部長はバリバリのマルクス経済学者である遊部久蔵《あそべきゅうぞう》。彼は講座派ではなく新講座派なんです。

佐藤　新講座派は思考の枠組みは共産党に近いのだけれど、政治的には必ずしも共産党を支持していないという立ち位置ですね。

池上　ええ。共産党と同じ講座派の理論に立脚しつつも、共産党とは一線を画しているという学派でした。そういう新講座派の学者が学部長をしているのであれば、このさい妥協してこちらに行くことにしようと思って慶應の経済を受けたわけです。もちろん、宇野弘蔵本人はそのころまだ存命で法政大学で教えていましたし、考えようによっては法政に行くのが一番よかったのかもしれないけれど。

佐藤　その当時の法政大学は中核派が我が物顔でのさばっていて、マルクス経済学に関心を持っている学生が学問に集中できるような環境ではなかったでしょうからね。

池上　中核派の牙城でしたからね、法政は。

佐藤　勉強なんかできる環境じゃない。普通のノンポリ学生が近経を学ぶぶんには問題なかったんでしょうけど、マル経を学びたい人が真面目に勉強していたら絶対に中核派がオルグに来るでしょうから。そうなるともはや、「社会から半分降りますか？」という感じになってしまいます。

中核派は私が同志社の学生だった七〇年代末期から八〇年代の初頭にかけても同じようなことをやっていました。「教育的措置」と称して、対立関係にある党派（ブント系）の学生の足をバールで折りにくるんですよ。

私の友達も中核派に両足を折られたことがあり、その時は苦痛で地面に呻き苦しんでいた友人を見下ろし、「次は頭だからな」という捨て台詞とともに去っていったそうです。こういう感じのセクトですから、私は中核派に対してはまともな運動体だという認識が一切ないんですよ。

このセクトに関しては新左翼の歴史的文脈で見るべきではないとさえ思っています。むしろ江戸時代の博徒や戦後の愚連隊の流れを汲む、任侠団体の系譜に連なる一団体だと考えたほうが実態に即していますよ。

池上青年を「オルグ」しようとしたセクト

池上　ただ、私自身も入学するまでわかっていなかったんですけど、慶應も私が入学する前年に日吉キャンパスにある学部の自治会はすべて中核派に押さえられていたんですよ。だから結局オルグはされました。

当時は入学生が大学に学費を納める時に、自治会費も一緒に納める仕組みになっていて、大学側はいったん預かった自治会費を後で学生自治会に渡す取り決めになっていました。だから各セクトは自治会を掌握することで自動的に入ってくる多額の活動費目当てに、学生自治会の争奪戦を繰り広げていて、これがとにかく激しかった。

そしてこの日吉キャンパスにある学部の自治会を、私が入る前年まではフロントが押さえていたんです。フロントというのは、もともとは共産党を離れた人たちが作った「統一社会主義同盟（統社同）」という党派の学生組織「社会主義学生戦線」の通称です。その後、通称はそのままで正式名称が「社会主義同盟」に変わりましたが。

佐藤　フロントの前身である統社同は、戦前から非転向を貫いて懲役一〇年を過ごした共産党の元大物・春日庄次郎《かすがしょうじろう》らが結成した党派ですね。

フロントは構造改革派、つまり議会、あるいは工場など生産拠点の自主管理などの大衆運動を通じて資本主義システムの構造を変えることで革命が実現できるとするアントニオ・グラムシの理論の実践を目指す代表的な党派のひとつですね。軍隊による武力闘争などは革命には必要ないというのが構造改革派の思想です。
春日は五〇年代から構造改革論と革命の平和的移行を唱えて宮本顕治と対立関係にありました。最終的に一九六一年七月、共産党が「六一年綱領」（57ページ参照）の草案を発表したときこれに反対し、共産党を離党しました。

池上 フロントの特徴は、思想も方法論も非常に穏健なことですよね。もっとも、後半には緑色のヘルメットを被っていましたけど。

佐藤 東大闘争の評価をめぐって党派内部の左右対立が激化し、一九六九年九月の第八回大会で構造改革路線とは決別してしまいましたね。一部の人たちは三里塚《さんりづか》闘争に加わって成田空港管制塔に突入したりもしています。フロント出身の著名人にはフランス文学者の鹿島茂《かしましげる》さんや、民主党政権で官房長官などを歴任した故・仙谷由人《せんごくよしと》さんなどがいます。

池上 やはり民主党政権で経済産業大臣などを務めた海江田万里《かいえだばんり》衆議院議員（現・立憲民主党）もそうですね。ほかには社民党などを経て今は立憲民主党所属である阿部知子《あべともこ》衆議院議員や「噂の眞相」発行人の岡留安則《おかどめやすのり》さんがいました。

佐藤 フロントは頭のいい人が多いから弁護士になった人も多いですよね。前巻でも少し触れましたが、日本共産党でも上田耕一郎《うえだこういちろう》と不破哲三の兄弟は若い頃は共産党内部で構造改革論を唱えた人たちです。最後は宮本顕治に自己批判させられて宮本路線に宗旨替えしてしまいましたけどね。

池上　フロント、社会主義学生戦線のもうひとつの特徴として、ソ連へのシンパシーがとても強かったというのも印象的です。ヘルメットも、党派名をアルファベットではなくキリル文字で書いていたくらいですから。

佐藤　ロシア語の「ФРОНТ」（フロント）、あるいは頭文字の「Ф（エフ）」ですね。

池上　いずれにしても、そのフロントは私が入学する前年に中核派にやられて三田に追いやられ、日吉は中核派、三田はフロントが押さえるという構図になっていました。キャンパスが別々だととりあえずは喧嘩にならないわけです。これは早稲田もそうでしたね。早稲田の場合は政経学部や法学部、商学部、教育学部などが集まっている本部キャンパスと文学部のある戸山キャンパスはほんの数百メートルの距離しか離れていないのですけど、文学部は革マルの牙城で、本部キャンパスは法学部だけが民青でした。それ以外の政治経済学部や商学部は、当時は社青同解放派が握っていましたっけ？

佐藤　解放派が強かったのですけど、最終的にはあのあたりもすべて革マルになっちゃいましたね。

池上　そうだ。社青同解放派が握っていたのを、文学部から革マルがやってきて社青同解放派の学生を一人一人リンチしていくことで奪取したんですよね。解放派の連中は鉄パイプやバールで膝の皿をたたき割られて歩けなくさせられたり、目にタバコの火を押し付けられたりと、死なない程度の個人テロで再起不能にさせられて誰も学校に出てこられなくなった。そうやって結局、法学部以外は革マルが制圧したんだという話を早稲田に進学した高校時代の友達に聞かされて、「早稲田というのはなんて恐ろしいところなんだろう」と震え上がった記憶があります。

旧日本製鐵元徴用工裁判で原告側代理人を務めたことなどで知られる弁護士の大口昭彦《おおぐちあきひこ》氏はかつて早稲田の解放派リーダーで早大全共闘の議長も務めていた人物ですが、彼も一九六八年に革マルのテロで頭を負傷していますよね。だいぶ後年の話になりますが、中核派の指導者であり、革共同時代には黒田寛一と同志の間柄だった本多延嘉《ほんだのぶよし》[14]などは一九七五年に自宅で革マルの襲撃を受け、全身を滅多打ちにされ殺害されています。

佐藤　でも、この当時に早稲田の第二法学部の学生で、民青「あかつき行動隊」の側で早稲田闘争にも参加していた宮崎学《みやざきまなぶ》さんは、個人テロは民青もやっていたと言っています。つまり民青も解放派の下宿を襲撃してリンチしてその場で退学届を書かせ、大学事務所まで連れて行って提出させたそうです。

池上　あるいは民青以外の派がうっかり法学部の建物に近付こうものなら、中に連れ込まれてリンチするなどのこともあったでしょう。そこまでやればこそ同一キャンパス内にある法学部が、ほかの学部はすべて革マルが掌握している環境で孤塁を守れたのでしょうけどね。

本屋で火炎瓶製造マニュアルが買えた時代

佐藤　革マル派と社青同解放派に関してちょっと面白いのは、そんな血なまぐさい関係でありながら、機関紙の名前が両方とも「解放」だったことですよね。だからお互いの新聞の中身を批判するのも、引用が大変だった。

池上　どちらも相手の新聞のことを「ニセ『解放』によると」と書かなきゃいけませんものね。

佐藤　革マル派は中核派との間でも同じ問題を抱えていました。革マルは週刊機関紙の「解放」のほかに隔月刊の機関誌も発行していて、そちらはいま「新世紀」という誌名になっているのですけど、かつては中核派の季刊雑誌と同じく「共産主義者」だったんで

14　本多延嘉（一九三四〜一九七五）：一九五七年に黒田寛一とともに革共同を創立、分裂をへて一九五九年に革共同全国委を結成し、書記長になる。後に中核派を結成し、黒田の革マル派との内ゲバを展開。

す。だからこれも相手方の記事を引用する時には、「反共主義者」とか、「インチキスト」とか、相手をバカにする言い換えをわざわざしたうえで引用していた。

池上　どちらの「共産主義者」も、（共産主義者の英訳であるcommunistを略した）「イスト」が略称でしたからね。

佐藤　当事者同士はともかく、もっと大変なのは第三者が紙名を呼ぶときですよ。私の地元の浦和には荒井書店という、どういうわけか過激派の機関紙や雑誌をたくさん置いてある本屋があって、私は高校時代からそこで各派の機関紙を買って読んでいたんですが、ただ「『解放』ください」と言っても店の人はどちらの「解放」か分からない。だから「青解ください」「マル解ください」と呼び分けていました。

池上　社青同解放派の「解放」が「青解」、革マルの「解放」が「マル解」ですね。あの頃は東京の神田にも「ウニタ書舗」という、すべての新左翼の機関紙を置いてある書店がありましたよね。

佐藤　ああ、あそこも昔よく行きました、池上さんの時代にはまだなかったと思いますけど、私の頃は右翼団体の本も、たとえば鈴木《すずき》邦男《くにお》さんの一水会が出していた「レコンキスタ」なども置いてありました。

池上　『腹腹時計』や『球根栽培法』も売っていました。皮肉といえば皮肉ですよね。かって中核自衛隊を組織していた時代の日本共産党が、各地の交番を襲撃するために爆弾や火炎瓶の作り方を党員にレクチャーするために出した本が十数年後に複製されて店頭で売られ、それを反日共系の新左翼たちがこぞって読んでいたわけですから。まあ私なんかは、単に好奇心で恐る恐る眺めていただけですけどね。

佐藤　京都にはセイレイ社という書店が同志社大学今出川キャンパスのそばにあって、そこで棚を眺めていると「君、難しいことに関心持っているんだね」とジャンパー着たおじさんに話しかけられることがあるんです。当時の京都府警中立売《なかだちうり》署の刑事なんですけどね。公安警察も、左翼思想に関心のある学生と親しくなって内偵者に仕立て上げようとそこで張っているわけですね。

池上　だからウニタ書舗も、当時はあそこに行くと、警視庁の公安が必ず見張っているぞと言われていました。

佐藤　今はもう、その手の機関紙を扱っている書店は新宿の模索舎だけですよね。

池上　そうですね。ウニタ書舗がなくなった後に模索舎ができた。

佐藤　その模索舎も公安は見ているわけですけど、ただセクトの側にとっても、定期購読者である同盟員がこういう場所に買いに行けるのはけっこう都合がいいんですよね。「解放」にしても「前進」にしても、配布方法を「密封」「開封」「手渡し」の中から選べるようになっていて一番安上がりなのは手渡しです。でもそれだと発行のたびに同盟員が訪ねていった先でカンパを要請されるのでさすがに面倒ください。

ただ郵送でも「開封」だと、「カクマル、血の海に沈む」などという物騒な見出しがデカデカと書かれている新聞が送られてきたら下宿のおばさんを驚かせてしまうので困るという同盟員もいる。かといって「密封」は料金が高い。だからウニタ書舗や模索舎のような場所まで買いに行ってもらうのが一番いいんです。

革マルの「革命的暴力論」

池上　ただ話を革マルに戻すと、私は慶應（日吉キャンパス）なのに中核派だけでなく革マルのオルグも受けてはいるんですよ。なぜかというと私のクラスメートの知人に革マルの活動家がいて、クラスメート自身は革マルじゃないのだけど、「知り合いがとにかく話だけでも聞いてくれと言っているから、ちょっと付き合ってくれ」と彼から頼まれ、仕方なく大学のそばの喫茶店でその人の話だけは聞いたんです。
すると案の定、「革命のために君も仲間に加われ」と誘ってきたので、「嫌です。だって革マルって、内ゲバで人を殺しているんでしょ？」と断ると、そこから延々聞かされたのが、「革命の理想のために人を殺すことは許されるのだ」という話でした。

佐藤　革マルに特有の「革命的暴力論」というやつですね。

池上　そう。同じ暴力でも、革命的な暴力と革命的でない暴力があるのだという理屈ですよね。革命の遂行という目的に適っているのであれば暴力によって人を殺すことも許されるが、ただしそれは組織によって革命に適った暴力なのか否かを審議され、「革命のためにこの暴力を行使する」と組織決定したうえでなされなければならない。要は革マルは中核派のように、同盟員が個々の判断で殺しをやっているわけではないのだ、という理屈ですが、あの時はこれを延々と聞かされて心底からウンザリしました。

佐藤　革マルがその理論をまとめたのは、一九七〇年八月三日に東京教育大学理学部の学生で革マル派の活動家でもあった海老原俊夫君（当時二一歳）が中核派のリンチで殺された「東京教育大生リンチ殺害事件」の後ですね。海老原本人を私は直接知りませんが、大宮市立（現さいたま市立）植竹中学校、埼玉県立浦和高校の先輩です。ですからこの事件は他人事と思えませんでした。

池上　そうですね。このとき海老原君は池袋駅で中核派が街宣活動をしているところにたまたま通りがかっただけでしたが、それ以前の衝突から革マルに対する遺恨を募らせていた中核派は海老原君を見つけると、その場で数十人で殴る蹴るの暴行を加え、さらに法政大学の六角校舎地下に拉致し、自己批判を要求しながらリンチし殺害した。それに対して革マル派は、「階級的報復」と称して数十人で法政大学に乗り込み、中核派の活動家十数人に重軽傷を負わせた。革マルと中核派の間の内ゲバはそれ以前からありましたが、この事件以後は殺し合いにエスカレートしていきました。

佐藤　革マル派がいう「革命的暴力」がどういう思想なのかについては、一九七一年に革マル派全学連の名前で出された『革命的暴力とは何か？』（こぶし書房）というそのままズバリのタイトルの本にまとめられているのですが、この本には、中核派同盟員の「自己批判書」なるものがいくつも収録されているんです。

〈八月三日の海老原君事件に関し、昨年六月まで教育大中核反戦会議の一員として活動を行った者として、更には本年六月において七〇年安保改定という市民的高揚のなかにあって無原則的に「闘争」に加わった一人として、ここに以下の如く自己批判する。

一、本年六月に教育大六月闘争委員会なるものに、昨年六月の召還の総括もなしに、また小ブル市民主義的意識をもって、即自的ラジカル性と以前の「人的」関係にひきずられ、自己満足的に参加してしまった事を自己批判します。従ってまた、階級闘争全般の展望を一切無視した犯罪行為であったことを自己批判します。

二、海老原君事件が中核派の基本方針の――従って自己の昨年六月までにおける活動、更には本年六月における自己の六闘委参加とは切り離せないものとしてあり、海老原事件の一端を自己が担ったという事は客観的事実として存在する――当然の帰結としてある事を認め、ここに自己批判する。即ち超主観主義的革命主義によるゲバ闘争↓革命の結びつけによる誤謬とそれによってもたらされた組織的壊滅と内部動揺を官僚主義的にのり切ろうとした他党派憎悪が事件を生みだしたのであり、具体的には六八〜六九年の学園闘争＝革命闘争の図式による街頭闘争主義がもたらした事を認めるとともに、自分がその一端を担ったことを自己批判する。更に小ブル意識の下に闘争から脱出をはかり、自己の内部点検をする事もなく本年六月に六闘委の下に参加した事の中核派的体質が、今度の事件を生み出さしめた事を自己批判する。

三、以上の自己批判にふまえるなら、昨年六月までの中核派およびその人的関係、更にはそれ以後の中核派とのなれあい的関係とその体質を一切清算することは当然のことであり、自己の社会観を中核派にたいする批判の中から形成する任務が、社会の、大学の一員として負わされることを認めるものである。

尚、以上の自己批判は何ら暴力的強制によるものでなく、相互のイデオロギー闘争の結果である事を、ここに明らかにする。

一一月一〇日　T・Y　〈(50〜51頁)

要は複数の中核派同盟員に「自分たちがやったことは反革命的な反動行為であったので許してください」と謝罪させているわけですが、興味深いのはどの文書も最後に「この自己批判書は決して暴力や強要によるものではなく、双方の真摯な討論の結果書かれたものです」と判で押したように書かれていることです。これを見るだけでも「これは相当殴られたな」という感じが行間から漂ってくるんですよ。

ところで前巻を刊行して以来、私のところに読者からの感想のメールがいくつか届いているのですが、その中でとりわけ目立つのが、かつて解放派や中核派など革マルと敵対するセクトに所属し学生運動を経験した人からの、革マルに対する恨み骨髄の声です。「あなたは革マルに甘い。あそこがどんなに恐ろしいところか知らないのか」というわけです。

池上　なるほど(笑)。

佐藤　ただ革マルは実際に恐ろしいセクトではありますが、一方で「こぶし書房」などを通じて、知識人の世界に未だに影響を与え続けているのも事実です。そこは両面をしっかり見ていきたいですね。

思想家・黒田寛一の凄み

池上　そうですね。だから私も革マルとの接触で不快な思いをしたものの、黒田寛一の『社会観の探求』（現代思潮社）は私自身も大学に入ってすぐの時期に読んでいるんです。最初に読んだときは、マルクスの『経済学・哲学草稿』を下敷きにしていることさえよくわかっていなかったはずですが、あの本で展開されていた黒田の疎外論というか労働観には感心しました。

佐藤　あれはいい本ですよね。『社会観の探求』と、その続編の『プロレタリア的人間の論理』（こぶし書房）。このあたりの著作で黒田が展開している論理は冴えわたっています。

もともと彼が世に出たきっかけも、父親にお金を出してもらって自費出版した『ヘーゲルとマルクス』という学術書が注目されたからですが、まだ二十代半ばの、アカデミズムに属していない若者の自費出版物がそこまで注目されたのはよほど理論的に卓越していなければありえないことです。ですから彼が指導した革マル派がその後どうなったかという問題とは別に、思想家としての黒田に注目しないわけにはいかないんです。

黒田の疎外論の特徴は、いまを生きている我々一人一人が疎外された人間であり、真の問題はその自分が疎外されている状況にさえ気づけていないことなのだと指摘したこと、そしてその「気づく」ということはすなわち、プロレタリア的な人間になること以外にないと言い切ったことにありました。

我々はプロレタリア的な人間になり共産主義革命を実現することによって、そこで初めてプロレタリアだの資本家だのといった階級による断絶を受けない、すべての人が手をつなぎ合えるような人間のあり方を回復していくことができるのだという社会観が黒田の思想の根本にはあります。黒田のこの疎外論は、ルカーチからの影響を非常に強く受けていると思われますが、マルクスの考えた疎外論をヘーゲルと結び付けてとらえなおしているという点で、本当に考え抜かれたものです。

反スターリン主義という思想を日本において誰よりも鮮烈に打ち出したのも黒田です。

ソ連が大規模核実験を行った翌年の一九六二年一月、黒田は「崩壊する国際スターリン主義と前進する革命的反戦闘争」という論文を当時の革共同の機関紙「前進」に寄稿しました。

〈ちょうど五年前の新年（註＝時間差はあるが一九五六年秋のハンガリー動乱のことを指すと考えられる）はブタペスト労働者の血しぶきで色どられたのであったが、一九六二年の新年は、クレムリン官僚の核爆発実験の強行再開によって全地球にばらまかれた、おびただしい死の灰につつまれて明けた〉という書き出しで始まるこの論文で、黒田はフルシチョフ体制以後のソ連が依然としてスターリニズムの政党であることを喝破すると同時に、「社会主義ソ連の核実験」という事実を前にして思考停止に陥る日本の既存左翼もまたその同類に過ぎないと切り捨てました。そのうえで自分たち革共同は、共産党とも社会党とも違う独自の運動のうねりをつくっていくのだと宣言したのです。

　こうした黒田の理論に当時の多くの若者が影響を受けました。書評サイト「千夜千冊」などで知られる著述家の松岡正剛《まつおかせいごう》さんも、若い時に黒田の薫陶を受けた言論人のひとりです。

池上　ですから私も早稲田祭に出かけて行った目当ての一つは、実は黒田寛一の講演会が開催されると聞いたからなんです。実物の、生の黒田寛一を見られるんだろうかと仲間と一緒に覗きに行ったら、会場の中央にでっかいテープレコーダーがドンと置かれていて、開始時間になると革マルの同盟員らしき活動家がやって来てスイッチを押し、黒田寛一の肉声演説が独特の節回しで流れてきた。よどむところのない、非常に朗々とした演説でしたね。明らかに自分で朗読していました。

佐藤　活動の初期の頃は、目薬をさしながらであれば大きな文字はまだ読めたので、自分で書いた原稿をテープレコーダーに吹き込んで演説していたんですよね。視力の悪化が進行してからは口述筆記で秘書に書かせるようになり、肉声をテープに吹き込むこともなくなりました。

国鉄・松崎明との出会い

佐藤　ただそれほどの卓越した理論家でありながら、黒田の革命家としての領分はそこに留まりませんでした。旧国鉄の職員であり、国鉄の労組組合員でもあった松崎明《まつざきあきら》[15]という黒田より九歳年下の青年が一九五七年頃から黒田の家に出入りするようになったことで、労働運動とのつながりをも得たからです。

松崎は革共同時代、のちに中核派の指導者になる本多延嘉とも非常に仲が良かったといわれており、黒田が一九五九年にスパイの疑いをかけられて革共同を除名され、本多らと革共同全国委を結成した「革共同第二次分裂」の際も当然ながら行動を共にしています。

しかし黒田がさらに本多と対立し革マル派を結成した一九六三年の「革共同第三次分裂」に際しては松崎は本多ではなく黒田の側につき、ナンバーツーである副議長に就任しました。

しかも松崎が加盟し、この頃は初代青年部長を務めていた国鉄動力車労働組合（動労）は、数ある国鉄の労働組合の中でも特殊な組合でした。

池上　国鉄が分割民営化されるまで長らく最大の組合員数を誇っていたのは国労（国鉄労

働組合）ですが、こちらが車掌や駅員など国鉄のあらゆる職種の労働者が加入する組合であったのに対して、動労は運転士、機関士だけが加入する組合なので組合員たちが皆、ものすごくプライドが高いんですよね。「列車を実際に動かしているのは俺たちだ。改札で切符を切っている他の一般駅員と一緒にするな」とでもいうようなエリート意識を持つ集団だった。

佐藤　加えて機関士や運転士の集団である動労には、列車が蒸気機関で動いていた時代から継承されてきた規律や結束力がありました。罐《かま》を焚く仕事は、ちょっとしたミスが大事故につながることもある職人芸の世界であるがゆえに職場規律が大変に厳しく、また職場内の親分・子分関係も厳しかった。その独特の伝統が、動力が蒸気から電力に切り替わってからも継承されていたんです。

松崎明

こうした鉄の結束力をもつ組合に、黒田＝革マル派は、松崎を通じて影響力を行使することができるようになった。こ

15　松崎明（一九三六〜二〇一〇年）：国鉄に入社。国鉄の分割民営化にともない、一九八七年に鉄労とともに鉄道労連（現在のＪＲ総連）を結成。ＪＲ東日本労組委員長を務めた。

れによって革マルは活動範囲と支持者の裾野を一気に広げることに成功しました。

池上　松崎自身もまた、黒田とは違ったタイプのカリスマの持ち主であったとよく言われますよね。動労は一九六〇～七〇年代には国労など他の組合に抜きん出て激しいストをいくつも展開したことで「鬼の動労」と恐れられました。この一連のストを指揮したのが松崎でした。

最終的に動労は一九八七年の国鉄分割民営化に際し、民営化に反対していた国労とは対照的に「鉄道産業の斜陽化を食い止め、組合員の雇用を守る」という大義名分を掲げて当時の中曾根康弘《なかそねやすひろ》政権と国鉄経営陣に協力し、鉄道労働組合（鉄労）・全国鉄道施設労働組合（全施労）・車輌労働組合（車労）など他の少数組合を糾合することで全日本鉄道労働組合総連合会（鉄道労連、略称は「ＪＲ総連」）となりました。

佐藤　黒田はやはり本質は理論家でしたし、松崎が副議長として革マルの労働運動を担当していなければ、革マル派そのものも頭でっかちの学生が集まるセクトで終わっていた可能性もありました。それが、松崎が黒田に次ぐ最高幹部として指導力を発揮したことにより、革マルは警察側の資料によれば現在も約五五〇〇人の勢力をもつ組織となることができ、共産党や社会党とも別の自立した運動体をつくることにも成功したわけです。もっとも現在のＪＲ総連は革マルとは別の組織になっていると私は見ています。

なぜ「殺人を正当化する思想」に変化するのか

池上　自分たちだけが真の革命の担い手であり、敵対する党派は反革命分子であるという見方に陥った左翼党派は、どこも程度の差こそあれ陰謀説を唱え始める傾向はあります。革マル派と敵対関係にある中核派にしても、革マルと警察が、裏で手を握りあっている「KK連合」だと主張してきました。

また日本共産党にしても、彼らが「ニセ左翼暴力集団」と呼ぶ新左翼に対しては、権力による「泳がせ」がなされていると主張してきました（127ページ参照）。ただ九〇年代以降の革マルは、一九九七年の神戸連続児童殺傷事件が権力による謀略であると唱えるなど、謀略説への執着が行き着くところまで行ってしまった印象がありますね。

佐藤　それはけっきょく人数が少ないからですよ。革マルの場合は活動家の人数が少なくて、基本的に公の場に出ず地下活動ばかりしているから、そのぶん思考が煮詰まりやすいんです。

私の皮膚感覚でも革マルだけは本当に正体が謎です。JR総連の、昔革マルのシンパだったらしき人は知っていても革マル本体の同盟員となると一人も面識はありませんからね。

ただ、そんな秘密結社じみた密教団体のような集団でありながら、革マル派は依然として影響力を持ち続けているのも事実です、何しろ警察側の調査では現在も——シンパを含めた数ではあるでしょうが——五五〇〇人も革マルの活動家がいることにはなっているのですからね。

私たちがいま敢えて左翼史を若い人たちに学んでもらいたいと考え、こんな対談をしているのだって、その理由の一つは、**影響を受けることで自分の命を投げ出しても構わない、そしていざとなれば自分だけでなく他人を殺すことも躊躇《ためら》うまいと人に決意させてしまうほどの力をもつ思想というものが現実に存在することを知ってもらいたい**からです。

そして人間に思想を紡ぐ力がある以上、それだけの力を持つ思想は今後も形を変えながら何度も現れるでしょう。

しかしそうした、人間を最終的には殺し合いに駆り立てる思想にしても、その始まりにおいては殺人とは無縁の、むしろこの世の中を良くしたいと真剣に考えた人たちが生み出したものではあるわけで、だからこそそれが、**どういう回路を通ることで殺人を正当化する思想に変わってしまうのかを示したい**のです。

ですから、ここからは革マル派に限らず新左翼の理論を、特にブントや社青同解放派などの党派を結成の最初の時期に率いた指導者たちの理論を、見ていくことにしましょう。

池上　各セクトの思想が分かる文献からいくつか引用していますが、五〇年以上前に書かれた文章で、しかも小難しい言葉が並んでいるので、読むのに骨が折れるかもしれません。もちろん、すべて理解しようとする必要はありません。当時の学生になった気持ちで、思想の雰囲気を大摑みしていただけたらと思います。

絶望から始まったブントの思想

佐藤　まずは新左翼の二大潮流のうち、ブントの系統から追ってみましょう。

ブントの思想は、ブントの理論機関誌「共産主義」の第一号（一九五九年一月）に掲載された結成宣言「全世界を獲得するために　プロレタリアートの焦眉の課題」に端的に表されています。

序章でも述べましたが、ブントは日本共産党への失望から党を自ら離れたか除名された学生党員たちを主体に結成されました。

ですからこの「全世界を獲得するために」の基底をなしているのも、一つはアメリカと張り合いながら超大国になった一方で、マルクスの理想からは程遠い単なる巨大官僚国家となってしまったソ連型社会主義への失望です。またそうしたソ連の失敗が明らかな現状にあって今なおソ連を信奉し、反米闘争という単にソ連に味方するだけの、革命に結びつくかどうかも曖昧な卑小な闘争に自分たちを駆り立てようとした日本共産党中央への深い絶望です。

〈プロレタリアートの前衛としての最初の意識された組織「共産主義者同盟」の宣言において、マルクスが「階級対立の、階級一般の存在条件を、したがって階級としての自分自身の支配を廃止する」ことによって「旧ブルジョア社会」に代って生れる「各個人の自由な発展が、すべての人々の自由な発展にとっての条件となるような」「一つの協力体」であるべき共産主義社会について語り、かかる社会をつくるために「プロレタリアートは全世界を獲得せねばならない」とよびかけたそのときから、百十年の月日が過ぎさった今日、世界のプロレタリアートは「社会主義の世界体制の確立」を宣言する「第二共産党宣言」を聞かされている。

人工衛星、人工惑星と、地球の外に打ちだされるロケットによる「共産主義の勝利」の謳歌によってプロレタリアートは、みずからの地位が「宇宙史的存在」にいつのまになったのかと、原子力工場での資本のくびきを忘れて幻想にとらえられようとする。〉

池上　なるほど。当時を知らない読者のために少し時代背景を説明しておくと、ソ連はこのブント結成宣言より一年と少し前の一九五七年一〇月に人工衛星「スプートニク一号」

を打ち上げ、これにより世界で初めて人工衛星を地球の周回軌道に乗せることに成功しました。宣言から二年後の一九六一年四月には、ソ連空軍のユーリイ・ガガーリン少佐が人類初の有人宇宙飛行に成功しています。

このようにソ連は、アメリカが「アポロ一一号」の月面着陸を成功させる一九六九年頃までアメリカとの宇宙開発競争で圧倒的に優位に立っており、このことはソ連一国の威信を高めただけでなく、世界の人々にソ連型社会主義の「強さ」を印象づけた面も確実にあったはずです。

しかしブントを結成した日本の若い革命家たちは、ソ連が宇宙開発の分野でいくら成果をあげたところで、世界の労働者階級が解放されるわけではないと考えていたわけですね。

〈だがしかし、ロシア、ソ連邦一国の「益々強化される国家」のなかで作製される「共産主義への移行の計画」をよそに、日々の労働によって、「二重の側面からますます生活手段を奪われていく」自己の疎外のなかで、「みずからの潰滅を感じ無力と、非人間的な生存の現実をみる」世界のプロレタリアートは、疎外された労働を止揚して真の人間性の恢復の実現のために闘わずにはいられないし、そしてこの行動なしに、世界共産主義革命の道を歩まずして、「共産主義の勝利」はありえないことを認識せずにいられないのだ。「新しい時代――プロレタリアートの共産主義革命の時代」をきりひらいたロシヤ・プロレタリアートの事業はかかるゆえにこそ世界プロレタリアートの輝かしい星であったのに、四十数年たったその同じロシヤの「偉人」たちによって叫ばれるものが「生産力の増大」によって誇示される「ソヴェト国家の強大さ」と、「資本主義体制と社会主義体制」の「長期にわたって可能になった平和的共存」のもとでの「競争」であることはなんという奇妙な――いやなんという激しい「根本的変化」であろうか？　そして、その同じ外交家たちによって「社会主義」ソ連邦を擁護することがプロレタリア国際主義であると告げられ、このためにはブルジョアジーとも妥協せよという「中立化」のための「闘争」が、無慈悲にプロレタリアートを弾圧するブルジョアジーのアメリカからの独立と威信の回復のための闘いが、プロレタリアートに強制されている。

社会主義は勝利したのか？

マルクスと、現在の世界プロレタリアートの闘いは否と答える。

明確なる事実は、人類はなお二つの階級に分裂させられていることをつげている。

ソヴェト、中国らのユーラシヤ大陸の一部分におけるブルジョア権力の打倒は、それ自身は人類の解放―階級の廃絶による人間の完全な疎外からの解放に導く世界革命の序曲を意味したことは疑いない。しかし、この地球上の一部分での閉鎖的な「社会主義建設」が共産主義の勝利として語られ、その権力の擁護の絶対化がプロレタリアートの解放の目標とされるに及んで、このソヴェトを支配する上層の官僚たちの「共産主義」は、必然的に世界プロレタリアートの闘いの方向を見失せ、裏切り、逆に、プロレタリア国家そのものの変質を結果させ、その国家のなかの人民の完全な解放、自由な人間の自由な発展をもおしとどめてしまっている。〉

こうしてあらためて読み直してみると、ブントも思想の中心には疎外論があったことが全体的にはっきり窺えますね。

佐藤　ええ。資本主義によって人間存在が疎外されている状況があり、だからこそ社会を変革しなければいけないのだ、という大きな問題意識の面では、実はブントも革マルもそれほど変わらなかったということです。さらに先を読んでいきましょう。

〈四五年―四九年の大敗北を導いた日本共産党の一九五〇年の分裂は、この敗北の教訓を学び激しい攻撃にさらされていた労働者階級の、次の闘いに備えるべき前衛的、革命的方針を生みだそうとするものと、敗北の事実を糊塗しさらに二重の深い裏切りをつづけるものとの激しい闘いとして闘われることによって、革命的前衛の再生の機会となるべきものであった。

しかし再生の機会が、なるべくして行われず五二年、敗北から立直りの歩を進めたプロレタリアートの運動とは全く無縁に「民族解放革命」の没階級的右翼的路線と、街頭的「火焔瓶」の極左一揆主義戦術と、「左派社会党を主要打撃」とするセクト主義のもとに、分裂が「統一」されたとき、この「前衛」とは無関係に労働者は改良的社会民主主義者の指導の下での苦しい歩みを続けなければならなかった。〉

〈他方、五五年の「統一」から三年、いかなる労働運動の指導よりも熱心に喧々とした「党内論争」に過しながら、なんらの革命的前衛としての自己批判も、そして革命的方針をうちだされないままに、革命的再生の機会を三度のがした共産党は、十一月五日のあの直後、社会党がブルジョアジーの妥協の道をたどった直後、この改良主義的社会民主主義にではなく「日本労働者階級の任務は、社会主義革命のためにプロレタリア権力をうちたてることを主張する党内の分子」を「挑発者」とよぶ主張を掲げることによって、新しい革命的分子による「分裂活動」が存在することを明らかにした。さらに五八年も暮に迫った二十九日、「極左日和見主義反党グループの粉砕」を大きくとりあげた「アカハタ」は、停滞し政治的腐敗に満ちた党内から新しい「左翼」「反対派」が「無視できない勢

力」として生れたことを告げ、一九五九年が「分裂の年」であることを裏書きしたのである。〉

池上　民族主義的な反米闘争や「社会ファシズム論」に基づいて社会党を当面の敵と位置づける党中央の方針に若手党員たちが不満を募らせ、最終的に「挑発者」「極左日和見主義反党グループ」などと呼ばれパージされていった過程がこの宣言からも窺えますね。

姫岡玲治の「国家独占資本主義」論

佐藤　こうしたブントの思想をひとつの理論としてまとめ上げたのが、本書にもすでに何度か登場している姫岡玲治（青木昌彦）でした。

姫岡がブントの理論機関誌「共産主義」に寄稿した小論「民主主義的言辞による資本主義への忠勤——国家独占資本主義段階における改良主義批判」（五九年六月）、あるいは現代思潮社から出した新書『日本国家独占資本主義の成立』などの内容は「姫岡国独資論」と呼ばれ、ブントの理論的支柱となりました。

池上　国家独占資本主義とは、レーニンが『帝国主義論』で初めて提唱した、市場を独占する企業体が国家権力を屈服させる形で権力と一体化した、資本主義末期の段階を指す概念ですね。姫岡の場合はその国家独占資本主義が、資本主義の独自の運動法則によってもたらされる必然的状態であるがゆえに、「日本共産党の構造改革派が言うような議会主義や改良主義では是正不可能である」とし、だからこそ武力革命が必要なのだ、というロジックを展開したところに特徴がありました。

佐藤　そうです。この論文が何を意図して書かれたかについては、青木昌彦名義で後年出版した自叙伝『私の履歴書　人生越境ゲーム』の中でも明らかにされています。

〈論争の相手は主にソ連を盟主とする共産党正統派（日本共産党主流を含む）、（イタリア共産党の影響を受けた）共産党構造的改良派、第四インターであったが、私の重要な論点は次のようなことにあった。

①ソ連は官僚の特権的地位を維持する国家に変質したので、革命運動の指導者の立場にもなければ、擁護の対象にもなり得ない。

②日本の資本主義は、戦中・戦前から小農などの古い要素を抱えつつも、それを利用しつつ高度の発展を遂げた。したがってそれはアメリカ資本主義にますます従属するというような後進性によっては特徴づけられない。

③強力な独占企業体制は国家の援助によって出現したとはいえ、それは資本主義の独自

の運動法則の発展の表現である（国家独占資本主義）。それは単なる政府の政策の結果として生まれたものでもなければ、それによって民主化されうるものでもない。〉（42〜43頁）

なおそのすぐ後の箇所には、当時この姫岡国独資論に対して、日本共産党構造改革派の代表格である不破哲三が嚙み付いてきたこととその後の顚末も書かれています。

〈このような二十歳になったばかりの私の書いた一連のいわゆる「姫岡理論」に対して、後に共産党の党首となる不破哲三氏は、党機関誌『前衛』一九五九年六月号誌上で「現代トロツキズム批判―平和と社会主義に敵対する『世界革命』論」を発表して、論理にならない罵詈雑言を浴びせたすえ、「もはや理論的批判の必要はない」「この反革命的反社会主義的本質を徹底的に暴露して、政治思想的に粉砕し尽くすことだけが残っている」と締めくくっていた。しかし二十年後のソ連崩壊に際して、彼は①に準じたことをいわざるを得なくなったし、②についてはやがて沈黙を守らざるを得なかった。〉（43頁）

池上　本来、共産党にとってはとるに足らない弱小勢力の若者の論文に過敏に反応した。それだけ姫岡論文は影響力があったんですね。

「加入戦術とオルグ」革共同の思想

佐藤　次に、ブントとは別系統である革共同の理論も追っていくことにしましょう。

以前から話しているとおり革共同の前身は一九五七年に結成された日本トロツキスト聯盟（第四インターナショナル）でした。その四トロの結党宣言が、「反逆者」九号（一九五七年一月一五日）に掲載された、「反逆者編集部宣言　世界社会主義のために闘う用意　共産党、社会党、及び無党派の革命的労働者諸君への訴え！」です。

スターリンが君臨するソ連中心に行われてきた国際共産主義運動を批判し、日本共産党や日本社会党などの国内の既存左翼に代わる新しい前衛政党に名乗りを上げている点ではブントと同じですが、彼ら四トロ―革共同の場合はスターリンを批判したトロツキーが結成した第四インターナショナルの日本支部であると自分たちを位置づけたこと、そして共産党と社会党の内部に自分たちのフラクション（分派）を組織するとあらかじめ宣言している点が特徴です。

〈……ソ連の労働者国家の権力を奪い取ろうとするスターリニズム官僚と労働者階級の闘争を通じて、そしてまた第三インターナショナルをソ連特権官僚の保守的外交政策の道具に堕落せしめようとするスターリニストに対する全世界の労働者前衛の闘争を通じて、新しい革命的インターナショナルが、すなわち第四インターナショナルが生まれた。
コミンターン左翼反対派を母胎として成立した第四インターナショナルのみが、マルクス主義の一切の革命的伝統を継承し、そのために生命を賭けて闘争してきた。スターリニズムの暗黒の支配のもとで、ゲーペーウーの職業的殺人者の脅威のもとで、シベリアの強制収容所のカベの中で、ありとあらゆる中傷と暴行とテロルに抗して、全世界の第四インターナショナリストはトロツキーを先頭として闘ってきた。〉
〈世界革命の後退期に、持ち場を死守し得ることを証明した第四インターナショナルは、今や開始されつつある世界革命の偉大な前進の時代と共に、革命的大衆運動の成長と成功のための真実の主体的保証になっている。
日本の革命が徹底的に、最後まで押しすすめられるための不可欠の主体的条件は、共産党、社会党の内外の戦闘的、批判的分子が第四インターナショナルに具現される正統ボルシェヴィズムの理論的伝統と結びつき、共産党、社会党内にボルシェヴィキ・フラクションを組織し、真の革命的大衆政党へ前進することである。〉

池上　すごい迫力ですよね。でも実際には、このアジビラを書いた頃の革共同はせいぜい数十人規模の、ほんの小さなサークルにすぎなかった。

佐藤　そうなんですよね。しかし革マル派なんて数は多くなくても鍛え抜かれた職業革命家がいれば革命はできると考えていましたから。

池上　革共同は「加入戦術」で社共に潜りこむことでその精鋭をオルグする戦略だったわけですね。もっとも共産党への加入戦術は結果的に行われず、より統制のゆるい社会党が主要ターゲットになりましたが。

佐藤　そして安保闘争後の、革命の高揚感が消えブントも組織が空中分解した時期に入ると、革共同自体が組織を拡大し、先鋭的な革命運動を志向する若者たちの受け皿になっていきます。ブントはもはや組織として機能していないが、だからといって共産党はいくら組織が強固であろうと入りたくはない、と考えた若者たちにはとても魅力があった。

ただ、革共同がその後何度か分裂し、黒田寛一が太田竜ら「純粋トロツキスト派」と袂を分かって松崎明や本多延嘉らと結成した分派「革共同全国委員会」が六三年一月に分裂（革共同第三次分裂）し、黒田・松崎らの革マル派と本多らの中核派に分かれていったのもすでに説明したとおりです。

なお第四インターナショナル日本支部の、黒田らと枝分かれした後も存続したほうの系統は、一九六五年に新東京国際空港（現在の成田国際空港）の建設反対運動として始まり、現在も成田国際空港の存続反対運動として継続されている三里塚闘争に中核派などとともに深く関わりました。

一九七八年三月の「成田空港管制塔占拠事件」では第四インターの活動家である前田《まえだ》道彦《みちひこ》が行動隊長として管制塔に突入し、管制機器を破壊して空港の開港を遅らせることにも成功しています。

前田はこの事件で逮捕され、航空危険罪などで懲役九年の判決を受けましたが、出所後に桐原書店に入社し、同社では英文法参考書の『総合英語Forest（フォレスト）』を手掛けて二〇一六年までに累計四三〇万部という大ベストセラーに育て上げました。現在は「いいずな書店」という英語・国語教材の出版社代表取締役として活躍中です。

行動の「中核派」、理論の「革マル派」

佐藤　革共同の系統に中核派もいますが、中核派の初代の指導者である本多延嘉はもともと黒田が一番買っていた人物だけにアジテーターとしての才能は間違いなくありましたし、理論面もしっかりしていました。特に黒田と一緒にガリ版刷りの「探究」を書いていた頃の文章は面白いです。「探究」は復刻版が解放社から出ているので比較的入手はしやすいでしょう。

あと彼は革共同系には珍しく共産党から出ていた人なので組織というものをよくわかっていましたね。

池上　だからこそ革マル派は最終的に彼を抹殺しなければいけないと考えたんでしょうね。

佐藤　ただ中核派の場合はやはり理論よりは行動。どんなところであろうと警察を恐れることなく突っ込んでいく行動力がこの党派の特徴です。

池上　オルグの方法も強引なんですよね。大学に新入生が入ってくると、その人を機動隊との衝突が確実に起こりそうなデモに連れて行き、実際に新入生が手ひどく痛めつけられたところで、「ほら、国家権力はこういう無法なものなんだ。だから我々は闘わなければいけないのだ」とオルグする。

佐藤　「『対カクマル戦争』体験記　元中核派同盟員の手記」という、「元中核派の同盟員が脱退後に書いた手記」という体裁で革マル派が中核派を誹謗中傷した謀略文書があるんですが、おそらくこれは、ある程度は実際に中核派を辞めた連中から聞き取った本当のことも書いてあるんですよ。

まともにメンバーを増やすのではなく、敵対党派のターゲットに嫌がらせをし、萎縮させて活動しにくくすることを目的とした「潰しオルグ」についても出てきます。

私の友人が同志社大学で経験したことですが、中核派はブント系の学生運動活動家が住んでいるアパートや寮の部屋を探し当てて、留守中に勝手に入って帰りを待つのだそうです。帰ってきたところで「私は中核派の者です」とちゃんと名乗る。ブントの学生が「てめえ！　人の家に勝手に上がりこんでどういうつもりだ？」と怒ると、「プライバシーなどというのはプチブルの発想だ」と開き直って居座るという。こんな気味の悪い作戦を忠実に実行するのですから、帝国陸軍の下士官になっていたようなメンタリティの人たちだと思いますよ。

池上　実際に自分たちを軍隊になぞらえるのが好きでしたよね。前にも言ったように慶應の日吉キャンパスは中核派の牙城だったのですけど、中核派が闘争への参加を訴えてキャンパスのあちこちに立て掛けてある立て看板に、ある時期から「慶大師団」という言葉が頻出するようになりました。それを見たある教授が、「一体「師団」が何百人単位の集団だと思っているんだ。わずか十数人しかいない連中が師団を名乗るとはなにごとだ」と講義で怒っていたのを覚えています。

佐藤　どこかの段階で軍事オタク的になっていきましたよね。師団だの軍団だのと名乗りたがる面倒くさい団体になっていった。

中核派のそうした傾向は、本多よりもむしろ本多暗殺後に最高指導者になった清水丈夫《しみずたけお》の個性に影響された部分が大きいでしょう。中核派には本多的なものとシミタケ的なものがあり、私はこの二つは実はかなり違うと思っています。清水は津久井良策《つくいよしかず》というペンネームで『内乱と武装の論理』という著書もあり、これは中核派が志向する暴力革命の理論的な軸になっています。

池上 清水議長はもともとブントの流れを汲む人ですね。二〇二〇年九月には実に五一年ぶりに公の場に現れ演説しました。

さらに二〇二一年一月には東京都内で記者会見し、警察側に殉職者が出た一九七一年の「渋谷暴動事件」（第四章で詳述）など中核派が関与したとされる一連のテロ事件に関して「殺害は許容していない」と強調しながらも組織の関与を認め、「どうしても必要な闘争であったと思います」「大きな意味を持っていたと思います。否定なんかしません」とも語ったそうです。齢八三を過ぎた今になって潜伏生活をやめ公然活動の方針に転じた理由については、「資本主義をぶっ倒すために闘わなければならない。全労働者階級人民に訴えようと思った」と語っています。

社青同解放派「レーニン批判」の論理

佐藤 このふたつの系譜に加えて、社会党から直接に派生してやがて独立したという点で全く別の系譜と言えるのが社青同解放派（解放派）です。

前巻でも言及しましたが、解放派の思想でもっとも特徴的だったのは、スターリンだけでなく長い間世界の共産主義者たちの間でマルクスと同等に神聖視されていたレーニンの革命家としての功績を否定し、レーニンがロシア革命で行おうとしたプロレタリアート独裁によるソビエト体制もまた共産主義ではないと考えたことでした。

池上　これまでに見てきたブントや革共同の論文でも、スターリン批判の言葉は非常に多く書き連ねられる一方でレーニンが偉大であることはほとんど自明のこととして扱われていましたから、解放派の主張がどれほど衝撃をもって迎えられたかは当時を知らない人でもある程度は想像がつくでしょうね。

佐藤　解放派がそう考えた最大の根拠は、レーニンの「外部注入論」（31ページ参照）、つまりプロレタリアートは革命の唯一の主体であるのだけれども、インテリゲンチャや職業革命家をはじめとする「外部」から革命意識を注入されなくては本当の意味で主体にはなれないと考えたレーニンの革命理論にありました。

解放派の代表的理論家のひとりであり第二代議長も務めた滝口弘人《たきぐちひろひと》は、解放派の綱領的文章である「共産主義＝革命的マルクス主義の旗を奪還する為の闘争宣言（草案）」（一九六一年五月　社青同東大班機関紙「解放」No.6掲載　のち高見出版より刊行）で次のように書いています。

〈……レーニン主義＝ボルシェヴィズムは、プロレタリアートが階級意識＝共産主義的意識を生み出すことを否定し、それとともにこの意識を体現する自分自身の党を生み出すことを否定する。プロレタリアートの階級意識とプロレタリアートの党は、プロレタリアート自身が生み出すのではなくて、プロレタリアートの外部から与えられる他はないとされている！　従って、レーニンの〝前衛党〟は、厳密にはプロレタリア党ではない。それは社会主義的中間層の支配する党、完全に〝観念とされたプロレタリア〟の党である。この党は、全プロレタリアに完全に超越した党である。〉

〈……社会主義理論を純粋に護持する〝理論家〟がただちにプロレタリアート解放闘争の実践的「前衛」つまり「党」であるとするのは正しいのか？　我々はこれには、はっきりと答えなければならない。それは共産主義＝革命的マルクス主義への決定的な背反である、と。

何故か？　マルクスは、その『ヘーゲル法哲学批判序説』の中で次のように言った。「思想が実現にむかってつきすすむだけでは充分でない。現実が自分を思想におしつけなければならないのだ。」すなわち、社会主義的な理論ないし「哲学」を純粋にプロレタリア化するだけでは充分でない。プロレタリアートが自分を理論ないし「哲学」におしつけなければならない。そこでこういう諸君がいるかもしれぬ。――それはレーニンとの区別にはならない。レーニンが言ったのは、理論のプロレタリア性を保持していれば、プロレタリアートが特に一定の情勢で理論におしつけられるとき、より正確に理論をわがものにすることができると言ったのである、と。諸君、いかにもその通り。マルクスのこの引用のかぎりでは。だがマルクスはヘーゲルと一切の観念論の根底的な批判の中でそういったのだ。つまり、マルクス主義は現実を主語にしたのであって、思想を主語とする一切の観念論を転覆したのである。現実が主体であり、プロレタリアートが主体なのであって、理論が主体なのではない。レーニンはこれをふたたび「逆立ち」させることによってマルクス主義を全体としてヘーゲル主義に、観念論にしているのである。社会主義理論が自分自身で先天的に真理として自己展開するものとされているのである。〉

〈だからレーニンの党は社会主義的理論家の支配する党、プチブル的「前衛党」、抽象的観念としてのプロレタリアートの党であり、決して生きたプロレタリア的前衛党ではない。レーニン主義は社会主義理論がプロレタリアートを担い手とする前に理論が現実的力をもったものとすることによって、理論を主語にプロレタリアートを述語にしている！〉

〈レーニン主義＝ボルシェヴィズムの基底的原則は、マルクス主義の基底的原則を正確に逆立ちさせたものである。それは「労働者階級の解放は、労働者階級自身の行為でなければならぬ」とする第一インターナショナル規約前文冒頭の原則からの断固たる背反である。それは、非マルクス主義というよりは反マルクス主義であり、反プロレタリア体系である。それは〝存在〟と〝意識〟の完全な二元論であり、解放の意識的な担い手は、労働者階級自身ではなくて、社会主義的中間層であり、現実の労働者階級はその補足物にすぎない。それは第一に、共産主義＝革命的マルクス主義を社会主義的中間層に切りつめて、独立自行する「イデオロギー」となし、第二に、解放のための党を全労働者階級から超越させ、第三に、プロレタリアートの革命的階級への形成を外からの意識のもちこみに切りつめた。その歴史は、まさに、プロレタリア解放闘争の自己疎外の過程であった。〉

レーニンを否定した解放派が依拠したのが戦前のドイツ共産党指導者であり、一九一九年の「スパルタクス団蜂起」（ドイツ共産党がドイツ・ワイマール共和国政府に対して武装蜂起しベルリン各地の主要施設を占拠したものの鎮圧された事件）で民兵組織に虐殺された女性革命家ローザ・ルクセンブルクの理論でした。

ロシア革命以前からレーニンの「前衛党」や「民主集中制」論を批判してあくまで労働者階級が主体となった、言い換えれば民衆の力を信じる革命を志向したローザの理論に立脚することで、解放派は官僚的独裁を排した、より民主的な共産主義革命が実現できると考えたのです。

池上　それにしても、あの時代に左翼がレーニンを批判するというのは大変に勇気がいることだったんじゃないでしょうか？

佐藤　そう思います。ただ解放派がそれをできたのは、彼らが自分たちの出自を労農派だと思っていたからです。同じ労農派でも向坂逸郎が社会主義協会を年々レーニン主義的にしていったのに対して、山川均は決してレーニンのことを礼賛してはいませんでしたから。

解放派がレーニンの外部注入論、つまり民衆の力を信頼しない点に拒否反応を示しローザ主義に傾倒した点にしても、山川イズムに源流があります。山川は戦前に日本共産党の理論的指導者であった福本和夫《ふくもとかずお》の福本イズム、つまり革命を実現する上では革命理論に精通したエリート集団のみによる前衛政党を組織し「結合の前の分離」を行うべきだという主張に反対し、革命家は大衆の中に還り、大衆とのインタラクション（相互作用）によって自分たち自身も変わっていかなければいけないのだと提唱しました。

そういう意味で解放派は労農派への先祖返りの要素もありました。だから戦後の左翼運動や新左翼運動についても、しっかりと理解するには労農派と講座派の対立に戻る必要があるわけです。

あとこれもまた労農派的なのですが、社青同の思想でもうひとつ重要なのが、ローザ・ルクセンブルクの理論に依拠し「周辺からの収奪」を問題視した点です。

資本主義においては資本家が労働者から搾取するだけでなく、富裕層が貧困層から、というように常に社会の中枢に近い側が周縁からの収奪を行っています。解放派はこのことを資本主義における最大の悪の一つと捉え、特にアジアに対する罪の意識を非常に強くもっていました。そして解放派のこの特徴は、他の新左翼党派にも大きな影響を与えました。

池上　大阪市立大学准教授の斎藤幸平《さいとうこうへい》さんが書いた二〇二〇年のベストセラー『人新世の「資本論」』（集英社新書）でも外部収奪論は特に強調されている点ですね。その意味で解放派の思想は現代に通じる部分もありそうですが。

佐藤　そのとおりでしょうね。ただ斎藤幸平さんがまさにそうなのですが、彼のようにヨーロッパでマルクス主義を学んでくると、基本的にレーニンは傍流でローザが主流なので自然とそこに注目するようにはなるんです。日本みたいに資本主義国でありながらスターリン主義系のマルクス主義が強い国は実はかなり珍しいのです。

解放派は最初期の指導者である中原一《なかはらはじめ》らがこの「外部収奪」の問題をいち早く理論化

し、中心的な訴えの一つにしていました。
これも含めて社青同解放派の重要な理論は、中原一の『共産主義「復活」の諸問題』（高見出版、『中原一著作集』の第一巻にも所収）にまとめられています。中原は、一九七七年二月に革マル派の襲撃を受けて頭を鉄パイプで滅多打ちにされ死亡しました。享年三六です。

「三派系全学連」の誕生

池上　ただ社青同解放派も、最終的にローザ・ルクセンブルク主義も何も関係なくなってしまいましたね。

佐藤　三派系全学連でブントと一緒になったことで思想的にはブントに接近していきましたね。

池上　そうだ、三派系全学連についても説明しておかなければいけませんでしたね。それにはまず六〇年安保後の全学連について説明しないといけないのですが、ブントが分裂した結果、ブントが主流派を構成していた全学連も一時期は壊滅状態に陥ってしまいました。
ただ当時の大学には各大学各学部の自治会を掌握すれば多額の自治会費が大学から渡されることで潤沢な活動費が得られる代理徴収制度が存在しましたから、各党派とも自治会の掌握を狙っており、そのための早道として全学連にも目をつけていました。

従来の全学連の執行部を最初に掌握したのは革共同でした。一九六二年に革共同全国委が革マル派と中核派に分裂すると、第二〇回の全学連大会では革マル派が中核派を追い出して執行部を独占し、以後全学連は「革マル派全学連」となりました。

それに対して日本共産党は、一九六二年八月に傘下の民青を指導して「安保反対、平和と民主主義を守る全国学生連絡会議」(「平民学連」)という「日常闘争路線」を掲げる団体を結成させ、六四年にはこの連絡会議を母体として共産党系の全学連が再建されました。

一方で革マル派も含む他の党派はこの共産党系全学連を認めず、分裂後のブントの学生組織である社会主義学生同盟(社学同)の諸派、中核派、社青同解放派の三派は協議のうえ革マル派とも共産党系とも違う「第三の全学連」を作る必要があるとの認識から自分たちの全学連を立ち上げ、三派は一緒に行動するようになった。当時のメディアはこれを「三派系全学連」と呼んだわけです。

これにより、日本各地の大学は大きく分けて三つの全学連に分裂し、それぞれが自分たちこそが正当な全学連であり、他の団体は全学連を勝手に名乗っているに過ぎないと言い始め、三国時代ではないけれどそれぞれの全学連が各大学の自治会争奪戦を展開していくわけです。

佐藤　だから当時は大学キャンパス内の立て看板にも「全学連○○委員長」とか「△△委員長」とか、必ず委員長の名前が書いてありましたよね。
池上　そう。単に「全学連」としか書かれていないと民青系か革マル系か三派系か区別がつかないので、委員長の固有名詞でどこの派かを判断していました。
佐藤　そのうち最も戦闘的だったのが三派系全学連でした。社学同、中核派、社青同解放派の三派が自分たちの全学連を結成するに当たって発表した「三派系全学連再建大会議案」（一九六六年一二月一七日）には、次のような檄文が書かれています。

〈こうした中で、日本帝国主義は米帝の戦争強化作戦に政府的に呼応しつつも、自らの独自的な東南アジアへの進出の布石を打ち込みつつある。日米同盟を一つの軸としつつも資本と商品投下、勢力圏の構築を始めた。

われわれのベトナム闘争は、こうした状況への全面的対決としてなければならなかった。

今秋のベトナム闘争は、昨年春燃え上ったベトナム反戦よりはるかに困難な条件をくつがえす闘いが要求されたといわなければならない。

その闘いは、ベトナム反戦意識を出発点にしながらも、ベトナム戦争を構造的一因とする現代世界そのものへの否定的方向性に貫かれないならば、闘いの展望が問われざるを得ず、無力になってゆくであろう。

今秋のベトナム闘争においては、わが戦闘的学生運動のみがベトナム戦争に対する最も深い綱領的認識に基づいて決起したといえるであろう。

その闘いは未だ十分には実っていないとはいえ、今秋、九月の原潜横須賀闘争、一〇・二〇東京の激烈なデモ、一〇・二一京都の闘い、一〇・二四広島の闘いを先頭にした全国各地の闘いは、戦闘的学生運動が残した極めて優れた闘いとして確認しておく必要があろう。

既成指導部のように「ベトナムなら簡単にストは打てる」などといういいかげんな思惑から出発するのではなく、反戦闘争を現状への鋭い変革点として理解するわれわれの闘いは、当然にも不退転の決意で闘い取った結果として、そうした突出した陣地を確保し得たのだ。〉

というわけで社青同解放派は三派系全学連でブントと一緒になったことで思想的にはブントや中核派に接近していき、ローザ・ルクセンブルク主義のはずが、だんだんレーニン主義的になっていきました。

池上　レーニン主義以上にレーニン主義的、つまり「大衆に還れ」ではなく前衛党志向になった。

佐藤　ただ逆にブントや中核派も、部分的には社青同解放派の影響を受けて変わった面がありました。特に先ほども言った、日本人がアジアからの収奪によって生き残っているというギルティ・コンシャスなどは、解放派が他の新左翼党派に影響を与えたものです。

左翼は「人間の不完全さ」を自覚せよ

佐藤　ここまで新左翼の理論を総覧したうえで言えることは、彼らの理論の背景には、大きな意味では六〇年代に日本の資本主義が息を吹き返しマルクス経済学で言うところの帝国主義段階、つまり他国に対して帝国主義的に進出するだけの力を日本が再び備え始めたことを脅威と感じるとともに、かつて戦争を起こした母国が再びアジアに侵略することを阻止しなければいけないという責任感や自責の念があったということです。

そして高度資本主義化と帝国主義化に呼応して、国内の労働現場でも合理化の波が押し寄せたことに対する反感が強く共有されていました。

この六〇年代末期は高度経済成長によりたしかに国民の生活水準は上がった時代ではありましたが、それと裏腹に労働の現場では大型機械の導入やそれに伴う分業化、仕事のマニュアル化などが進み、労働者が働くことそれ自体の喜びから切り離される事態も著しく進行した時代でもありました。

そうした厳しい合理化の時代にあって、マルクスの理論の中でも、資本家が労働者を搾取して自己増殖を繰り返すごとに労働者を貧困に追い込んでいくという窮乏化理論の部分は相対的に顧みられなくなっていったのと対照的に、労働者が労働力を商品として資本家に売り渡すほどに仕事がくだらないものになっているという疎外論は必然的に台頭しました。まもなく社会に出ることを意識せざるを得ない立場にあった学生たちの多くも、この点には最もビビッドに反応しました。

これらの問題意識が当時の日本共産党の頭からいずれも抜け落ちていたことを考えれば、学生運動のリーダーたちは問題を問題として直観できていた時点でやはり相当に高い知性を持っていました。

池上　たしかにあの当時の学生運動リーダーたちの知的水準は今考えると驚くほど高かったですね。さきほど言ったように六〇年代末期は大学の大衆化の始まりの時期ではありましたが、そうはいっても今とは全然違い、大学生は紛れもなく知的エリートでした。

佐藤　末端のほうは継承できるだけの知力がありませんから次第に殺しの話しかしなくなってしまったかもしれないけれど、それでもやっぱり運動を始めた人たちは非常に賢かった。ですからなおのこと、これほど多くの知的な人たちが運動を指導した半世紀後の日本がこうなっていることが不思議です。もはや社会で交わされる言葉に思想性なんて欠片もありませんから。

だから**左翼というのは始まりの地点では非常に知的でありながらも、ある地点まで行ってしまうと思考が止まる仕組みがどこかに内包されていると思います。**そしてその仕組みは、リベラルではなく左翼の思想の中のどこかにあるはずなのです。

池上　前巻でも佐藤さんが言っていたように、リベラルと左翼は全く違うもので、リベラルはむしろ資本主義の思想ですからね。

佐藤　だから共産主義なる理論がどういう理論であって、それはどういう回路で自己絶対化を遂げるのか、そして自己絶対化を克服する原理は共産主義自身の中にはないのだということは、今のリベラルも絶対に知っておかなければいけないことなんです。

そして私の考えでは、その核心部分は左翼が理性で世の中を組み立てられると思っているところにあります。理想だけでは世の中は動かないし、理屈だけで割り切ることもできない。**人間には理屈では割り切れないドロドロした部分が絶対にあるのに、それらをすべて捨象しても社会は構築しうると考えてしまうこと、そしてその不完全さを自覚できないことが左翼の弱さの根本部分だと思うのです。**

第四章

過激化する新左翼
（一九七〇年〜）

自壊し、テロリズムに走る新左翼。
左翼の失敗は宿命づけられていたのか——。

《第四章に関する年表》

一九七〇年	二月三日	政府、核拡散防止条約に調印。
	三月三一日	赤軍派学生、羽田発福岡行き日航定期便よど号を乗っ取る（よど号ハイジャック事件）。
	六月二二日	政府、日米安保条約自動延長で声明。
	六月二三日	総評の反安保統一行動で集会・デモ、全国で七七万人参加。
	七月一日	日本共産党第一一回大会開催。報道陣に初公開。中央委幹部会委員長宮本顕治・書記局長不破哲三選出。
	八月四日	革共同革マル派の東教大生の死体が東京・厚生年金病院前に置き捨て（以後、革共同革マル派・革共同中核派の内ゲバ激化）。
	一一月二五日	三島由紀夫、楯の会会員と陸上自衛隊東部方面総監部でクーデターを呼びかけ、失敗し自殺（三島事件）。
	一一月三〇日	第三四回社会党大会。委員長成田知巳・書記長石橋政嗣を選出。
一九七一年	二月二二日	新東京国際空港公団・千葉県が、成田空港用地の行政代執行開始。反対派の農民・学生と警官隊衝突。

	八月二二日	朝霞自衛官殺害事件（赤衛軍事件）。
	九月一六日	成田空港の第二次行政代執行で、学生と機動隊衝突、隊員三人死亡。
	一一月一四日	沖縄返還協定批准反対で全国三二都道府県で集会・デモ。東京・渋谷で学生と警官隊衝突、警官と学生各一人死亡（渋谷暴動事件）。
一九七二年	二月一六日	群馬県妙義山中で連合赤軍二人逮捕、一七日同所で幹部の永田洋子・森恒夫逮捕、一九日長野県軽井沢駅で四人逮捕、五人が警官隊と銃撃戦の末、管理人の妻を人質にあさま山荘に籠城。二八日警官隊が強行救出作戦によって人質救出、五人全員逮捕（あさま山荘事件）。
	五月一五日	日米沖縄返還協定発効、沖縄県発足。
	五月三〇日	イスラエルのテルアビブ空港で日本人ゲリラ三人の乱射事件。死者二六人、重軽傷者七三人、ゲリラ二人は射殺、一人逮捕。

七〇年安保闘争と新宿騒乱

池上　第四章では一九七〇年以降の左翼史を年表的に振り返っておきましょう。

すでに第三章までの内容で全共闘と民青、また全共闘の内部でも各セクト間での内ゲバが勃発していたことを紹介しましたが、七〇年代初頭には内ゲバがさらに過激・凄惨なものとなり、世論が新左翼を見放すようになります。そして追い詰められた一部の党派は突破口を探そうともがくうちにかつての共産党をなぞるように無謀なテロに踏み切って失敗し、新左翼の運動は事実上命脈を絶たれることになります。知識としては広く知られているこの過程を、本書ではなるべく丁寧に見ていくことにしましょう。

さて一九六〇年代の終わり、学生運動は東大安田講堂事件をピークとしてこの収束以後は陰りを見せ始めていましたが、一方でベトナム戦争の泥沼化により世間の反戦気運は依然として高い状況にありました。そうしたなか左派陣営は、きたる一九七〇年に日米安全保障条約を破棄させるための闘争を見据えていました。

一九六〇年に締結された日米安全保障条約はその期限が一〇年と定められていました。その期限が過ぎた後は、日米どちらも破棄の意思を示さなければ自動的に延長されることになっていましたが、裏を返せばどちらかが一年前に相手方に通告さえすれば一方的に破棄することも可能だったのです。そこで各党派は日本政府に米国への条約破棄通告をさせることを目指し、諸々の反戦闘争を安保にリンクさせようとしていました。佐藤栄作首相の南ベトナム訪問を阻止しようとした一九六七年の第一次羽田闘争、一九六八年一月の佐世保エンタープライズ寄港阻止闘争などにしても、いずれも安保自動延長阻止のための前哨戦という意味合いがありました。

そうした闘争のひとつに、「米軍燃料タンク輸送阻止闘争」、通称「米タン阻止闘争」もありました。一九六七年八月八日、東京・新宿駅の構内で、在日米軍立川基地に配備されている航空機、つまりいずれ日本を飛び立ちベトナム戦争に派遣される蓋然性が高い航空機用のジェット燃料を積んだ貨物列車が他の車両に衝突し、炎上するという事故が起きました。この事故により、日本の鉄道インフラが米軍が行っている戦争の補給線として使われている実態がクローズアップされ、平和憲法がありながらその状態を黙認している日本政府への批判も高まったのです。

そしてこの米タン阻止闘争の一環として、事故発生約一年後の一九六八年一〇月二一日に中核派、ML派、第四インターナショナルなどの新左翼党派によって「新宿騒乱」事件が引き起こされました。

佐藤　この日は国際反戦デーだったのですよね。総評が米軍の北ベトナム空爆に抗議するために、事故の前年一九六六年の同じ日に「ベトナム反戦統一スト」を実施し、全世界の反戦団体にベトナム戦争反対への参加を呼びかけたことから始まった日でした。

池上　ええ。だから日本各地でベトナム戦争に反対する集会が開かれており、新宿でも数千人が集まってデモが行われていたのですが、中核派とML派、第四インターナショナルなどは、前年の米軍輸送タンクの事故発生現場である新宿駅で暴動を起こすことをあらかじめ計画していました。

この日は約四〇〇〇人の新左翼学生が新宿駅周辺を長時間占拠してデモを行い、さらに駅構内、線路になだれ込んで線路の枕木や電車のシートを引き剝がしてバリケードを築いてホームを一時占拠したほか、さらに電車や駅舎などを片っ端から丸太や投石などで破壊し、放火したことで、新宿駅周辺は一万人以上の群衆を巻き込んでの大パニックになりました。

これに対して警視庁は、一九五二年の「血のメーデー事件」以来一六年ぶりとなる騒擾罪（現在の騒乱罪）を適用し、三六四人を検挙しました。新左翼学生たちはデモの段階からすでに「騒擾罪をはねのけて闘うぞ」とシュプレヒコールを上げており、はじめから騒擾罪になることは覚悟の上だったと見られています。

沖縄は「奪還」すべきか「解放」すべきか

池上　こうした一連の反戦闘争の中でも、新左翼、そして社会党や共産党が最大の闘争と位置づけていたのが、沖縄の本土復帰に絡んでの闘争であり、特に一九六九年四月二八日の「四・二八沖縄闘争」は七〇年安保闘争とセットの「国民運動」と位置づけられていました。

「四・二八」という日付が重視されたのは、「サンフランシスコ講和条約」が発効したのが一九五二年四月二八日だったからです。この条約が結ばれたことにより、敗戦国日本は国際社会への復帰を果たすとともに、沖縄は条約の第三条を根拠に本土から切り離され、一九七二年五月一五日に本土復帰するまで戦後二七年ものあいだ米軍の支配下に置かれることになりました。

佐藤　沖縄では、アメリカに占領統治されていたこの二七年間を「アメリカ世《ゆー》」と呼びます。

占領下の沖縄では琉球政府が創設され、公選の議員で構成される立法機関「立法院」も設けられるなど一定の自治が認められていましたが、最終的な意思決定権は琉球政府の上位に位置する琉球列島米国民政府（ＵＳＣＡＲ）にあり、政治の実権はすべて米国が握っていました。沖縄ではこうした米軍の支配に対する抵抗運動とともに、祖国である日本への復帰運動が組織されました。

その旗頭になったのが豊見城村《とみぐすく》（現在の豊見城市）出身で、沖縄朝日新聞、毎日新聞沖縄支局の記者を経て一九四六年に「うるま新報（現在の琉球新報）」を設立したジャーナリストの瀬長亀次郎《せながかめじろう》でした。瀬長は沖縄人民党を結成し、反米闘争を繰り広げました。沖縄人民党は日本共産党沖縄県委員会の前身なのですが、米軍占領下の沖縄では共産党は非合法だったので、その代わりとして設立されたのです。

池上　こうした沖縄での復帰運動の高まりを受け一九六〇年代に入ると、沖縄問題をこのまま放置すれば日米関係は不安定化を避けられないだけでなく、沖縄に基地機能が維持できなくなることで東アジアにおけるアメリカの軍事的影響力そのものの低下につながりかねないとの危機感が日米両政府の間で共有されるようになりました。

一九六二年に米国のケネディ大統領が「琉球は日本の一部」と明言したのに続き、六四年四月には「日米協議委員会」「日米琉技術委員会」が設置され、日本と沖縄との「一体化」政策が推し進められるようになりました。

こうした状況もあって、一九六〇年代の後半には沖縄が本土に復帰すること自体は既定路線となっていましたが、新左翼党派にとって日本政府が進める沖縄「返還」とは、沖縄の本土復帰と引き換えに米軍基地を沖縄に永続的に置く体制を整え、ひいては日米安保体制の再編・強化に利用しようとする欺瞞に満ちたものでしかありませんでした。

一九六九年の「四・二八沖縄闘争」はこうした沖縄「返還」の欺瞞性を訴えて沖縄の人民を米軍の支配から解放することを目指したもので、左派のほとんどすべての陣営が参加して全国規模でデモの嵐が吹き荒れました。

佐藤　東大や日大の闘争が盛り上がりを見せ、ベトナム戦争に反対する反戦・反米世論も追い風として全共闘が誰も予期していなかったほど大きな存在となっていく中で、様々な新左翼党派がチャンスだと考えて付和雷同的に便乗してきたわけですね。その中で、全共闘の最大の高揚期が生まれてきました。

池上　ただこの闘争の呼び名をめぐっては中核と革マルが沖縄「奪還」なのか「解放」なのかで対立していましたね。

佐藤　あとは民青の沖縄「返還」もありました。言うまでもなく、この時期の共産党の愛国主義的な闘争方針に影響を受けたものですが。

池上　革マルの沖縄「解放」は、中核に言わせれば「なんで資本主義体制の日本に施政権が戻ってくるだけのことで沖縄人民を解放できるんだ」という理屈でした。こんな具合でしたので例のごとく各党派の足並みは揃っていませんでしたが、沖縄闘争は安田講堂「落城」後の全共闘運動のひとつのピークでした。

特に東京では約二万人の学生や労働者が参加して「首都制圧」「霞ヶ関占拠」を掲げて

武装闘争に発展し、政府は破壊活動防止法の適用検討まで迫られました。

また、一九六九年一一月一九日から二一日にかけては佐藤栄作首相が沖縄返還交渉のために訪米し、リチャード・ニクソン大統領と日米首脳会談を行う予定となっていましたが、新左翼はこのタイミングで、全国でのべ約七万四〇〇〇人を動員して首相訪米阻止の闘争を展開しました。

これも東京では、渡米前日の一一月一六日だけで約一万九〇〇〇人が火炎瓶や鉄パイプ、角材などで武装し、蒲田、品川など都内各所で警官隊とのゲリラ戦を繰り広げました。これにより警察官四八七人のほか、巻き添えになった一般人も六五人が負傷し、学生側は一人が死亡し、二五五七人が検挙されました。

この闘争で使用された火炎瓶は、警察側発表によると約一二〇〇本、未使用のまま押収されたものは約三三〇〇本に及んだとされます。

さらに一連の七〇年安保闘争で警察が全国で押収した武器となると、投石は二四一トン、劇毒物九五四個、爆発物一九一一個、火炎瓶一万八一〇四本、角材二万四二八本、鉄パイプ六四〇本に上っています。

佐藤　しかしこうした闘争の激化にもかかわらず佐藤首相は訪米してニクソンと日米首脳会談を行い、日本側が繊維製品の対米輸出を自主規制することを交換条件として、一九七二年の春に沖縄は返還されることになりました。そしてアメリカ軍の基地は引き続き沖縄に残すこともその場で決められました。

池上　一方で新左翼側は、闘争のヤマ場と決めていた「一一月決戦」で大きなダメージを受けました。大量の検挙者を出したことで当面は組織の回復に努めざるを得なくなり、大規模武装闘争を展開するのが難しくなったからです。こうしたなかで日米安全保障条約も一九七〇年六月二三日に自動延長されました。

赤衛軍事件で始まった先鋭化

池上　このように七〇年安保の闘争は再び左派の敗北に終わりますが、「安保延長反対」の呼びかけに対して世論が共感していなかったかというと必ずしもそうではなく、ベトナム反戦運動、成田空港問題などと結び付き、労働者層の支持も一定程度は得ていました。安保条約が自動延長される直前の一九七〇年六月一四日には国会前でデモも行われ、全国二三六ヵ所で社会党、共産党などによるデモも行われました。

ただ、この頃には新左翼と民青、あるいは新左翼同士の内ゲバがかなり激しくなっており、多くの国民はついていけないものを感じ始めていました。

佐藤　だから一九六九年一二月の総選挙では、与党自民党が議席を増やす一方で「安保延長反対」を掲げた社会党は五〇議席減となる大敗を喫していますね。

池上 また新左翼諸派の側も、佐藤政権による徹底した取り締まりと弾圧、さらに内ゲバによってかなり疲弊していました。そして一九七〇年六月に日米安全保障条約が自動延長となってからは、その活動は次第に先鋭化していきました。

一九七〇年八月には、先ほども紹介した東京教育大学生リンチ殺人事件（169ページ参照）、つまり中核派学生が東京教育大学の革マル派学生を殺害する事件が起きています。

そして一九七一年一一月一四日には、東京・渋谷で中核派が暴動（「渋谷暴動」）を起こし、鎮圧にあたっていた新潟県警の機動隊員一人が火炎瓶の火を浴びて殉職する事件が起きました。

佐藤 この警官殺害の容疑がもたれていた中核派の活動家・大坂正明《おおさかまさあき》は全国指名手配され、二〇一〇年には国際指名手配を受けながら四六年もの長きにわたって逃亡生活を送っていましたが、二〇一七年に逮捕されたのはまだ記憶に新しいですね。事件当時二一歳だった大坂は逮捕時六七歳になっていました。

池上 また一九七一年一二月一八日には、警視庁の土田國保《つちだくにやす》警務部長の豊島区雑司が谷にあった自宅に、同期生からのお歳暮に見せかけた郵便爆弾が届けられ、これが爆発して土田部長の妻が亡くなったほか、一三歳の四男が爆弾の破片を浴びて重傷を負う事件が起きました。のちにこの事件を含む四つの爆弾テロ事件の容疑者として赤軍派（後述）の活動家だった増淵利行《ますぶちとしゆき》ら一八人が逮捕・起訴されていますが証拠不十分で無罪となっています。この頃から新左翼運動はもはや運動とは呼べない、権力に対するテロリズムという色彩が強まってきました。

佐藤　その中でも新左翼の活動が一線を越えた、ある意味で荒唐無稽とも言える先鋭化をしていった最初のきっかけは、私は一九七一年八月の「赤衛軍事件」、より正確に言えば、この事件の実行犯に影響を与えた京大全共闘の滝田修《たきたおさむ》[16]（本名・竹本信弘《たけもとのぶひろ》）の思想にあったと考えています。

滝田修（竹本信弘）

池上　「赤衛軍事件」は「朝霞自衛官殺害事件」という別名でも知られていますね。一九七一年八月二一日、陸上自衛隊朝霞駐屯地で歩哨に立っていた当時二一歳の自衛官・一場哲雄陸士長（死後に二階級特進し二等陸曹）が何者かに刃物で刺され殺されました。一場士長が所持していた小銃は士長自身が

16　滝田修（一九四〇〜）：一九六九年に京大パルチザンを結成。七一年の赤衛軍事件で共謀共同正犯として指名手配され、八二年逮捕された。

咄嗟の判断で事件現場近くの側溝に投げ入れたからか奪われずに済んだものの、彼が左腕につけていた「警衛」と書かれた腕章は奪われてしまった。そして事件現場周辺には、「赤衛軍」という名称が入った赤ヘルメットやビラなどが存在を誇示するかのように散乱していました。

埼玉県警は「赤衛軍」という新左翼党派が起こした事件とみて捜査を開始したものの、赤衛軍などという党派は新左翼活動家の間でも公安警察の間でも全く無名で何一つ正体が摑めず、捜査は難航しました。

そうしたなか、一〇月五日に発売された「朝日ジャーナル」に、「謎の超過激派赤衛軍幹部と単独会見」という記事が掲載され、まだ警察が一般公表していなかった腕章強奪の事実など犯人しか知りえない内容がここに書かれていた。警察が記事の取材源を洗い出し徹底的に捜査したところ、日本大学文理学部哲学科の学生・菊井良治など三人の学生が容疑者として浮かび、まもなく逮捕されました。

そしてこのスクープ記事を書いた「朝日ジャーナル」の編集部員が、現在は文芸・映画評論家として知られる川本三郎《かわもとさぶろう》[17]さんでした。川本さんは、「週刊朝日」編集部在職中の一九七一年二月に「京浜安保共闘」（後述）の幹部活動家を自称する菊井と取材を通じて親しくなり、事件後には独占インタビューにも成功していました。そして事件発生後は、菊井が犯人であることを示す腕章なども本人から譲り受け、それを焼却していた。これにより川本さんも証拠隠滅の容疑で埼玉県草加警察署に逮捕されて朝日新聞社を懲戒解雇となり、懲役一〇ヵ月、執行猶予二年の有罪判決を受けています。

川本さんがこのあたりの詳細を記したのが二〇一一年に映画化もされた川本さんの自伝的ノンフィクション『マイ・バック・ページ』ですが、この本の記述を読む限り、菊井は京浜安保共闘の幹部と名乗っていたものの実際は単なる目立ちたがり屋で、「赤衛軍」という名称にしても、この事件を起こすために名付けた実態のない組織だった可能性がありますね。

佐藤　『マイ・バック・ページ』は映画版も非常にいい出来ですよね。特に菊井に相当する役を演じた松山ケンイチの演技が素晴らしい。

滝田修のパルチザン思想

佐藤　しかし「赤衛軍事件」はこれで終わりませんでした。菊井が逮捕後の取り調べで事

17　川本三郎（一九四四〜）：「朝日ジャーナル」編集部員を経て、一九七三年にフリーとなる。『朝日のようにさわやかに』『都市の感受性』『マイ・バック・ページ』など文学、映画、風俗、若者文化などの分野で活躍。

件の首謀者は自分ではなく、京大経済学部助手の滝田修の指示に従ったのだと「自白」したからです。

池上 滝田＝竹本は一九六八〜六九年にかけて起きた京大闘争には理論的指導者として参加した人物ですね。もともとドイツ社会思想史の有望な研究者でもあり、マスメディアから「過激派の教祖」「日本のゲバラ」と呼ばれるなど新左翼のカリスマの一人になっていました。それが、菊井の自白により朝霞自衛官殺害事件の共謀共同正犯として指名手配されてしまった。滝田は濡れ衣であると主張して知人を頼りながらの逃亡・潜伏生活に入り、逃亡中の一九七四年六月には『只今潜行中●中間報告』（序章社）という本まで出します。

しかし一一年後の一九八二年八月八日に川崎市内で逮捕されました。裁判では一貫して無罪を主張し、強盗致死の謀議は否定されたものの、幇助に関しては有罪の判決がくだされ、懲役五年の刑が確定しました。

佐藤 滝田は「赤衛軍事件」が起こる以前、東大・京大闘争において全共闘が新左翼各派のセクト主義の限界を超えられないままに敗れた経験を踏まえ、革命のためには既存党派とは別に「パルチザン」、つまり革命の正規軍とは異なる民衆自身による別働隊を組織してゲリラ闘争をしなければならないと説いていました。

滝田が出演した一九六九年のドキュメンタリー映画『パルチザン前史』（土本典昭《つちもとのりあき》監督）には、滝田が京大構内のグラウンドで〝軍事教練〟を行い、訓練を受けた若者の一人が、「組織の強さではなく、一人一人がとても強い存在となりながら革命をやる。強い人間、全人的な力量を持った、魅力のある人間を僕らでつくる必要がある。非常に素朴なことだがこれをやらなければ駄目だ。つまり自分で働いて自分の責任でメシをくい、自分の金で自分の武器を買い、自分の戦略で自分の力で闘っていく。たとえ少数であってもやり抜いていく。その点でパルチザン五人組というのは誰が何といおうと断固として防衛すべきだし、展開すべきゲリラである」と語る場面も出てきます。

また滝田は「京都反大学運動に結集し、全共闘の怒涛の進撃を、再開せよ‼――反大学運動の原理的確立のために――」（一九六九年四月一一日）という論文の中で次のように書いています。

〈……したがって、彼らの「大学」の解体を拡大し深化させ破壊しつくすためには、彼らのブルジョア的三位一体路線＝現実実践の切捨て路線に敵対しこの現実の〈実践＝現実そのもの〉を彼らの秩序のただ中に投入しなければならず、それは、別個の質をもった秩序と運動の胎動・形成によってのみ保障されるのであろうということ、彼らの路線が人間に対する物の支配を固定するのに対して、われわれの〈別個の質をもった秩序と運動〉はこのブルジョア的固定支配を逆転し、人間を物的主体的に解放するであろうということ。（略）この別個の質とは、決して口先だけの理念ではなくて、真赤な血によって購われるところの闘いであり、闘いの中の結合であるということ、それは、端的に、〈闘いの中の結合＝反権力闘争を闘う戦闘的大衆の全国的全人民的部隊的結合〉であるということ。（略）したがってわれわれの闘いは、現実の論理のなかで、個別大学・個別地方・個別階層を超えて、全体性としての権力と対決しているということ、つまりわれわれの闘いがこのように権力闘争・階級闘争そのものであってみれば、われわれは、社会の全階層・全人民を反帝統一戦線に形成する先駆者的核心として自己を位置づけなければならず、当面は、各大学全共闘を線的＝面的に結合して全国全共闘レーテ戦線を形成工作し、これをもって、全国労働者レーテ・全国高校生レーテ等の戦闘的大衆戦線――これを一方の極に重層的に形成しないかぎり、火急の任務となっているところの非合法ルートの形成は一歩も前進しないのである――を反帝的にひき出さなければならないということ。〉

池上　一九七〇年一一月の三島由紀夫自決（「三島事件」）に際して朝日新聞の取材に答えた内容も、滝田の闘争に関する思想がよく表れていますね。

ここで滝田は「われわれ左翼の思想的敗退だ。あそこまでからだをはる人間をわれわれは一人も持っていなかった。動転した」「七〇年代の闘争をやり抜くためには、新左翼の側にも何人もの〝三島〟をつくらねばならん」などと発言していました。

佐藤　滝田がパルチザンを訴え始めたのは、京大の運動がもっていた特殊性にありました。京大闘争は東大闘争に少し遅れて始まったのですが、（むしろ後発であったがゆえに）東京の全共闘運動とは微妙に違う方向に進み、さらに滝田という稀有な個性が指導者になったことでパルチザン戦まで進まないといけないという非常に急進的な考え方に取り憑かれていったのです。

　その滝田の影響力が、東京の非主流派の新左翼学生だった菊井にまで及び、全共闘の最大の高揚期のピークのところで運動そのものを暴力的な路線に外《そ》らし、結局は衰退と解体に導いてしまったという意味で、滝田修の存在は非常に重要だと思うんですよ。

池上　たしかに滝田の暴力革命論は全国の全共闘学生に影響を与えましたね。一九七二年にテルアビブ空港乱射事件（後述）を起こした奥平剛士《おくだいらつよし》や安田《やすだ》安之《やすゆき》らも、母校の京大で滝田に影響を受けたと言われています。

佐藤　そうなんです。ところで私は滝田さん——ここでは敢えて滝田さんと呼ばせてもらいますが——には出所後に二度ほど会ったことがあるんですよ。その時点ではもうすっかりいおじいさんになってしまっていましたけど、往年の滝田さんはアジビラの名人でした。『滝田修評論集　ならず者暴力宣言』（芳賀書店）という本はその傑作集です。

大菩薩峠事件とよど号事件

池上　そして新左翼運動は、おそらくは佐藤さんが言うように滝田のパルチザン理論の影響もあって各セクトがますます過激さを競うようになりました。そうした新左翼内部の競争のなか関西ブントでは塩見《しおみ》孝也《たかや》や田宮高麿《たみやたかまろ》など最左派のグループが分派し、一九六九年八月二八日、三〇人ほどの仲間と共に神奈川県三浦市城ヶ島で「共産主義者同盟赤軍派」（赤軍派）を結成。塩見が「政治局議長」、田宮が「軍事委員長」になりました。

赤軍派はまず一九六九年九月二二日、大阪市内の警察署や交番を同時多発的に急襲して警察力を分散させ、その機に乗じて釜ヶ崎のあいりん地区を本拠に武装蜂起する「大阪戦争」を計画しましたが、この計画は大阪府警に事前に察知されて家宅捜索を受け、四七人が検挙され、逃げ延びたメンバーが数ヵ所の交番を火炎瓶で放火しただけで終わりました。さらに数日後には東京でも、神田で武装蜂起する「東京戦争」を計画しましたが、これも警察の警備の厳しさにより不完全燃焼に終わりました。

二つの武装蜂起の失敗を受けて赤軍派が次に計画したのは、刃物や鉄パイプ、火炎瓶、爆弾などで武装した八つの部隊が数台の大型ダンプカーに分乗し、首相官邸と警視庁を襲撃し、人質をとって獄中の活動家等を奪還する「一一月闘争」の作戦であり、赤軍派はそのための軍事訓練を山梨県にある大菩薩峠の山中で行うことになっていました。

しかしこの作戦も失敗に終わりました。警視庁公安部の刑事が赤軍派メンバーのある高校生の動きをあらかじめマークしていて、彼が赤軍派の他のメンバーと合流して何かを計画することもおおよそ把握し、この高校生を東京都内から尾行していたんです。彼の行った先が大菩薩峠で、なおかつそこで赤軍派の主力メンバー数十人が軍事訓練をしていたのは公安もさすがに驚いたかもしれませんが、赤軍派はこれで五三人が一網打尽で検挙されてしまいました。

そしてこの大菩薩峠事件で五三人ものメンバーを一挙に失ってしまった塩見や田宮は、もはや日本一国の闘争で革命を実現するのは無理だと考えるようになり、苦境を打開する突破口として「国際根拠地論」を提唱するようになりました。すでに社会主義国となっている他国を根拠地として赤軍派のメンバーに軍事訓練を受けさせ、革命軍兵士として鍛え上げた上で彼らを世界各地に送り込み武装蜂起させ、「世界同時革命」を実行しようという構想です。

その世界同時革命の根拠地として彼らは最初キューバを希望していましたが、日本からの距離があまりに遠く、途中の燃料補給などがきっかけで失敗するリスクが高いと見て最終的に選んだのが北朝鮮でした。彼らが北朝鮮に入国するために一九七〇年三月三一日に起こしたのが、日本における初のハイジャック事件である「よど号事件」です。

このハイジャックは赤軍派内部では「フェニックス作戦」と呼ばれ、本来ならば議長である塩見孝也の指揮のもと実行されるはずでしたが、塩見は計画実行前の三月一五日に警察に逮捕されてしまいました。しかし田宮高麿ら残された九人のメンバーは塩見の逮捕を知った上でハイジャックを決行。日本航空三五一便（よど号）に日本刀や拳銃、爆弾（いずれも模造品）、ロープなどを持ち込み、同便が羽田を発ち富士山上空を飛行していたタイミングで乗客や機長の自由を奪い、北朝鮮への亡命を成功させました。

よど号グループが北朝鮮にわたったのは、先ほども述べたように北朝鮮で軍事訓練を受け、ひいては北朝鮮を世界同時革命の拠点とするためでしたが、それは実現しませんでした。彼らとしては朝鮮労働党をオルグして自分たちの計画に協力させるつもりだったのですが、彼らの世界同時革命論を北朝鮮の指導者たちは荒唐無稽とみなし全く相手にしなかったのです。そして彼らは平壌《ピョンヤン》近郊にある「日本革命村」に集団で住まわされ、そこで「主体《チュチェ》思想」、つまり金日成体制を賛美する洗脳教育を徹底的に受けました。

そもそも赤軍派は全員が反スターリン主義者でしたが、金日成主席はスターリン主義者なので話が合うはずもありませんでした。そのあたりも含め、北朝鮮がどういう国なのか、彼ら自身もまだよく分かっていなかったのでしょうね。

その後のよど号メンバーは、北朝鮮で朝鮮労働党の保護のもと一般人民よりはるかに恵まれた生活を送ったとも言われますが、メンバーおよび彼らが北朝鮮で結婚した日本人妻の中には、一九八〇年代に北朝鮮がヨーロッパで実行した日本人拉致事件への関与が指摘され、警察庁により国際手配されている者もいます。

連合赤軍と山岳ベース事件

佐藤　そして他方、赤軍派の流れとは本来無関係のはずの日本共産党のある地方組織から、全く別の過激派組織が誕生しました。日本共産党の神奈川県常任委員会に所属していたものの、共産党中央の方針に飽きたらず除名された中国派のグループが「毛沢東思想で武装した革命党建設」「反米愛国」などのスローガンを掲げて、社学同ML派や共産同マル戦派から分離したグループと合流し、一九六九年に「日本共産党（革命左派）神奈川県委員会」、通称「京浜安保共闘」という党派を結成したのです。
この京浜安保共闘は毛沢東主義者の集団で毛沢東の「政権は銃口から生まれる」という言葉を信奉していますので、武器を使うことを躊躇いません。

そして一九七一年には、その「武器を使う」という唯一の点によって、思想的にはトロツキズム、つまり反スターリン主義であり反毛沢東主義でもあるはずの赤軍派とも合流しました。これはこれまでの左翼の常識からすれば本当にありえないことでした。

池上　両者が合体してできたのが連合赤軍ですね。そのありえない合体が実現した一番の理由は、やはり赤軍派の焦りだったんでしょう。

赤軍派にしてみると、大菩薩峠事件で五三人ものメンバーが検挙されたあとに議長の塩見孝也まで逮捕、残った主力のうち九人は軍事訓練を受けさせて革命戦士として帰国してもらうために北朝鮮に送りこんだはずが、向こうに行ったきりずっと梨の礫《つぶて》だったわけですからね。しかし世界同時革命実行のために他国に革命拠点をつくるという計画は今さら変えるわけにもいかず、計画継続のためのパートナーを見つける必要があった。京浜安保共闘はその相手としては好都合に見えたのでしょうね。

佐藤　両者の利害が嚙み合ったのでしょう。このころ赤軍派は一九七一年二月から同七月にかけて各地の金融機関を襲い資金を強奪するM（マフィア）作戦を七度実行し、当時の金額で一〇〇〇万円を超える資金を確保していました。しかし彼らには武器がなかった。他方で京浜安保共闘は、七一年二月に栃木県真岡市の銃砲店を襲撃し、猟銃一〇挺と銃弾約二三〇〇発を強奪したものの資金には困っていましたから。

池上　兎にも角にも、こうして連合赤軍は誕生しました。ナンバーワンにあたる中央委員会委員長には赤軍派リーダーの森恒夫《もりつねお》が、ナンバーツーである副委員長とナンバースリーの書記長には、京浜安保共闘の永田《ながた》洋子《ひろこ》と坂口弘《さかぐちひろし》がそれぞれ就任しました。

なお連合赤軍結成に前後して革命左派（京浜安保共闘）の側も強奪した銃で射撃訓練を行っていましたが、七一年夏、メンバーの中から一組の男女が脱走を図るというアクシデントが発生し、秘密が外部に漏れることを恐れた永田、坂口がこの二人を組織防衛のために殺害する「印旛沼事件」が発生しています。

これまで新左翼の陣営では凄惨な内ゲバは何度も起きていましたが、「同志殺害」という一線を越えてしまったのはこの事件が初めてでした。そしてこの経験が、七一年暮れから翌七二年二月にかけて日本犯罪史上に残るリンチ殺人事件である「山岳ベース事件」の引き金にもなります。

森恒夫

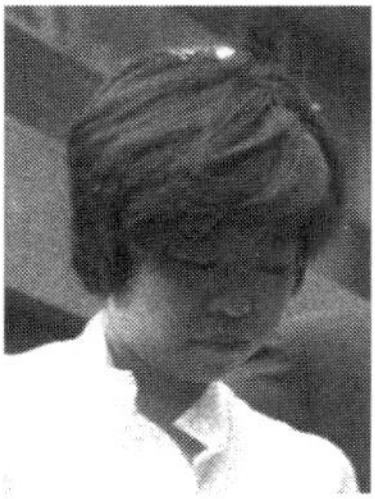

永田洋子

当時の連合赤軍は警察の追及を逃れるために群馬県の榛名山などの山中に複数のアジト（山岳ベース）を築いており、七一年暮れにはこのベースに森、永田、坂口をはじめとする両派の主要メンバー一八人が集まり合同軍事訓練を行っていました。

ところがこの訓練に関して、赤軍派のある女性メンバーが合法活動時代から着けていた指輪をしていたことを永田が「革命的警戒心が足りない」と咎めたことがきっかけとなり、組織内で「総括」と称して他メンバーへの批判や自己批判の強要が行われるようになりました。

総括は最初こそ対象者を作業から外すだけのものでしたが、間もなく「総括に集中させるため」との理由で長時間正座をさせ、食事を与えないなどの罰が加えられるようになり、さらには森恒夫らによる物理的暴力が加えられるようになりました。またこの暴力を振るうことに関して、森は、自分自身が学生時代に剣道の試合で気絶して目が覚めたときに「新鮮な気持ちになってすべてを受け入れられるような状態になった」ことを引き合いに出し、殴って気絶させたメンバーは目覚めたときには別人格の「真に共産主義化された」戦士として生まれ変われるのだと説明したとされます。

対象者の身体を拘束し食事を与えず、相手が気絶するまで殴打するこの「総括支援」は、一二月三一日に最初の死者を出しました。しかし森らはこれを「総括できなかったための敗北死」と切り捨て、その後も他のメンバーへの総括を続けたため、暴行による死者や衰弱死、氷点下の屋外にさらされたための凍死者が続出しました。

一九七一年一二月末からの約二ヵ月の間に死亡したメンバーは最終的に一二人に上り、その中には妊娠していた女性メンバーもいました。

一方で、警察側も連合赤軍が群馬県の山中に潜伏していると見て群馬県警が大規模な山狩りを開始していました。県警の手が迫っていることを知った連合赤軍メンバーが追跡を逃れる過程で起こした事件が、あの「あさま山荘事件」です。

あさま山荘事件とは何だったのか

池上　この間、森、永田らは資金調達のために山を下り東京に戻っていました。警察の山狩りが行われていることを知った坂口は、二人と合流しようと一旦は東京に向かおうとしましたが叶わず、隣接する長野県佐久市に向かうことになりました。

一方で森・永田は榛名山のベース跡地が警察に発見されたことを知って、坂口たちと合流しようと別のベースに向かいますが入れ違いとなり、二月一七日に山狩りをしていた警察官に見つかり逮捕されました。

二九名いた連合赤軍メンバーは一二名が山岳ベースで殺害されて四名が脱走、八名が逮捕されてこの時点では坂口ら五人が残るのみでした。この五人が、軽井沢レイクニュータウンにあった山荘に侵入し、建物内に唯一人残っていた管理人の妻を人質にとって立て籠もったわけです。

機動隊は山荘を包囲し投降するように説得しましたが、犯人側が何も要求せず人質の安否も不明とあって膠着状態に陥り、事件発生三日目の二一日夕方には、警察の要請を受けて現場にやってきた連合赤軍メンバーたちの母親が、拡声器を通じて投降するように呼びかける一幕もありました。しかし立て籠もった五人の一人・吉野《よしの》雅邦《まさくに》は警察が親の情を利用したことにむしろ逆上し、自分の親が乗っていた警察の装甲車に向け発砲しました。

立て籠もる連合赤軍と機動隊との攻防は約一〇日間にわたって続いたものの、最後は大型クレーンで吊り上げた巨大な鉄球が山荘の屋根と壁を破壊。そこに催涙弾が投げ込まれるとともに機動隊が突入し、連合赤軍との銃撃戦が繰り広げられました。

一一時間におよんだこの突入劇はテレビで生中継され、国民はテレビの前に釘付けになり、NHKと民放を合算した瞬間視聴率は八九・七%に達しました。

このときに作戦を指揮していた当時の後藤田《ごとうだ》正晴《まさはる》警察庁長官（のち衆議院議員）が、連合赤軍側に死者が出た場合、他の党派から革命に殉じた英雄として偶像利用されるのを恐れ全員を生け捕りにするよう厳命したというのは有名な話です。この突入により、機動隊員二人が頭部に被弾し殉職したものの、人質は無事救出され、連合赤軍五人も全員が死傷することなく逮捕されました。

そしてこのあさま山荘事件の終結に伴い、連合赤軍が山岳ベースで行った凄惨極まりないリンチ殺人の実態も世間に知られることとなりました。これにより、世間が新左翼運動に寄せていたシンパシーは完全に失われ、新左翼運動そのものに終止符を打たれたのは間違いないでしょう。

第二章でも話したように、全共闘が東京・神田駿河台で「神田カルチェ・ラタン闘争」を闘った一九六八年頃までは、学生運動が一般市民から積極的にではないにせよ応援されており、機動隊に追われた学生を定食屋や喫茶店が匿ってくれるなどの例はかなり見られました。ところが山岳ベース事件以降はそうした空気は一気に消え去り、全国の学生運動も急激に下火になっていきました。

連合赤軍の最高指導者であった森恒夫は、逮捕後に東京拘置所で原稿用紙六〇〇枚に上る「自己批判書」を執筆し、事件に関する詳細な経緯を書き遺しました。この自己批判書はのちによど号グループへのインタビューも行ったジャーナリスト高沢皓司《たかざわこうじ》氏の編集により『銃撃戦と粛清』というタイトルで新泉社から出版もされています。この冒頭で森は、「私の行った行為が日本革命史上かつてない残虐な非プロレタリア的行為であった事」と書いており、自分自身の非を完全に認めています。

そして森は、初公判を控えていた翌一九七三年の元旦、東京拘置所の独房で首吊り自殺しているところを発見されました。享年二八でした。傍らには塩見、そしてあさま山荘事件の犯人五人の中ではただ一人赤軍派の出身だった坂東國男《ばんどうくにお》宛の遺書が残されており、そこに「自己の責任の重さに絶望……自らに死刑を下す」と綴っていたそうです。

佐藤　一方で森の死を獄中で聞かされた永田洋子は、「ずるい！」と叫んだそうです。

永田は裁判で山岳ベース事件を主導したと認定され、一九九三年には最高裁で死刑判決が確定しましたが、判決を受け入れず二〇〇一年に再審請求をし、東京地裁は二〇〇六年一一月に請求を棄却しました。

ただ永田本人はこの請求棄却の半年前に脳腫瘍で倒れて以後は寝たきりだったと言われ、二〇一一年二月五日に東京拘置所で六五歳で亡くなりました。

日本赤軍の登場

池上　しかし赤軍派には山岳ベース事件にもあさま山荘事件にも関わることなく、塩見孝也や田宮高麿らが「よど号」事件を計画したそもそもの目的である「国際根拠地」の確立を「よど号」事件の後も追求していたメンバーもいました。

その代表が、塩見孝也逮捕後に最高指導者となった森恒夫とはもともと不仲であったといわれる重信房子《しげのぶふさこ》、そしてかつて京大で滝田修の薫陶を受け「京大パルチザン」のメンバーでもあった奥平剛士らでした。二人は一九七一年二月二八日、偽装結婚をしたうえでパレスチナに赴き、パレスチナ解放機構（ＰＬＯ）に参加する武装組織のひとつであるパレスチナ解放人民戦線（ＰＦＬＰ）に国際義勇兵として参加しました。

一九七二年二月のあさま山荘事件に際しては、「赤軍派の同志諸君ならびに連合赤軍の同志諸君そして友人たちへ」という声明を発表し、自分たちは赤軍派とは訣別し今後は独自の革命運動を展開していくと宣言しました。

重信や奥平がパレスチナおよびＰＦＬＰに着目したのは、同戦線がＰＬＯ傘下の武装組織の中でも珍しい、マルクス・レーニン主義を掲げる組織だったという理由があります。

不思議なことにこの組織は、パレスチナのイスラエルからの解放を目指す紛れもないイスラム教徒たちの武装勢力でありながら、宗教を否定するマルクス・レーニン主義との親和性が強いという特徴がありました。重信らはここと連携して田宮高麿らが望んでいた軍事訓練を受け、世界同時革命を実行しようと考えたわけです。

そしてこのＰＦＬＰには日本だけでなくドイツからも同

重信房子

じく「赤軍派」を名乗る革命勢力が義勇兵として参加していました。そのため、それぞれの党派がお互いの国籍を区別する必要が生じたため、重信らは一九七四年頃から「日本赤軍」を対外的に名乗るようになりました。

そしてこの日本赤軍の――まだ日本赤軍と名乗り始める前ですが――奥平剛士と同じく京大の学生だった安田安之、鹿児島大学の学生だった岡本公三《おかもとこうぞう》という三人のメンバーが一九七二年五月三〇日、イスラエル・テルアビブ近郊のロッド国際空港（現在のベン・グリオン国際空港）で銃を無差別乱射し、一般旅行客を中心に二六人を殺害、七三人に重軽傷を負わせるという世界的大事件を起こすことになりました。

彼らがこのようなテロを決行したのは、同年五月八日にパレスチナ過激派組織「黒い九月」のメンバー四人がベルギーのブリュッセル発テルアビブ行きの航空機をハイジャックし、イスラエル政府に逮捕されている仲間三一七人の解放を要求したものの拒否され、逆に制圧された「サベナ航空五七二便ハイジャック事件」の報復という意味合いがありました。

黒い九月の失敗を受けてPFLPは当初自分たちでロッド国際空港を襲撃することを計画したものの、アラブ人である自分たちが空港の厳重な警備を破るのは不可能と判断し、赤軍派の奥平に協力を依頼したというわけです。

そしてこの要請に応じて事件を起こした三人のうち奥平と安田はその場で死亡しました。奥平は空港警備隊に射殺され、安田は手榴弾で自爆して死んだと伝えられます。残る岡本は拘束され、イスラエルで終身刑を言い渡され服役していましたが、のちにイスラエルとパレスチナ武装勢力の捕虜交換により釈放されました。現在はレバノンに政治亡命しまだ存命ですが、レバノン政府によるとイスラエルの獄中で拷問を受けた後遺症により精神疾患や発語障害を抱えているとされます。

佐藤　中東で本当に革命戦士になってしまった日本赤軍はよど号グループに比べれば本懐を遂げたと言えなくもないのかもしれませんが、そうはいっても結局はＰＦＬＰの下請けとして命を散らしてしまったという印象が拭えませんね。

　ちなみにこの赤軍派の路線に非常に刺激を受けたのが中核派です。だから中核派は爆弾を作るなど過激な路線に向かいました。

　しかし革マルは、そうした赤軍派の路線を「誇大妄想主義者」「抜刀隊による国会占拠などという、時代錯誤的な方針を掲げている」などと小バカにしていました。

　そして革マル派は赤軍派や中核派を反面教師とするかのように組織強化に力を注ぐようになり、特に動労を軸とした労働運動に力を入れ始めました。革マルと中核派の分岐が、赤軍派の起こした事件をきっかけにますます鮮明になっていったとも言えます。

池上　しかしよど号グループや連合赤軍の行ったことは現代の私たちの生活にも影響を及ぼしていますよね。よど号グループが模造刀や玩具の拳銃を持ち込んで航空機の乗っ取りに成功するまで、ハイジャックというテロの手法は日本ではほとんど認知されていませんでした。だからこの事件以降、空港で乗客に対し搭乗前のセキュリティ・チェックをするようになった。

佐藤　考えてみれば松本清張《まつもとせいちょう》の『点と線』も刊行が一九五〇年代末で、時代設定がよど号事件以前だったから書けたミステリー小説ですね。あの小説の犯人が使ったアリバイ工作は、鉄道と飛行機を乗り継ぐことで、事件の犯人であれば普通いられるはずがない時と場所に到達し自分を目撃させるというものでした。このトリックはごく限られた時間を利用して飛行機に搭乗することが前提ですので、金属探知機のチェックを受けるために、離陸の一時間も前に空港に行かなければいけない現在では成立しません。

池上　たしかにそうです。日本赤軍の無差別乱射事件にしても、奥平剛士ら実行犯三人はパリで自動小銃や手榴弾を入手し、それをスーツケースに隠してエールフランス航空に預けてやすやすと飛行機に乗り込んでいます。そしてロッド空港で預けていた荷物が出てきたところでスーツケースを開き、おもむろに自動小銃の乱射を始めた。

だから国際的に見てもこの事件をきっかけに、飛行機に預ける荷物のセキュリティ・チエックが始まった。飛行機や空港をターゲットにした犯罪がいろいろと起こりうることを日本の赤軍派が世界に教えた格好ですよね。

よく言われることではありますが、イスラム過激派の自爆テロも赤軍派がルーツというのは本当でしょう。

奥平らはイスラエルの国際空港で銃を乱射すれば生還を期待できないことは当然知っており、最初から自分の命と引き換えに革命の成果を獲得しようとしていました。それが教義で自殺を禁じられているパレスチナの人たちにはものすごく衝撃的であり、これがやがて自爆テロというジハードのあり方にアレンジされていった。

それだけにパレスチナで彼らが英雄視されていたのは間違いありません。事件後長らくイスラエルで幽閉されていた岡本も同様で、パレスチナの難民キャンプでは一時期、生まれた子供に「オカモト」や「コウゾウ」という名前をつけるのが流行りました。私もパレスチナの難民キャンプに取材に行った際に「日本から来た」と自己紹介すると、決まって「日本人か！　だったら、オカモトを知っているか？」と尋ねられたものです。

日本人を「総ノンポリ化」した新左翼運動

池上　さて、ここまで新左翼運動の流れを振り返ってきました。佐藤さんはこれをどう総括しますか？

佐藤　哲学・思想の面で新左翼に優れたものがあったのは間違いありません。しかし、政治的には全く無意味な運動だったと言わざるを得ないでしょうね。革命を成就させられなかったというだけでなく、その後の日本社会に何らかのポジティブな影響を及ぼしたわけでもありませんでした。

正義感と知的能力に優れた多くの若者たちが必死に取り組んだけれども、その結果として彼らは相互に殺し合い、生き残った者の大半も人生を棒に振った。だから彼らと同形態の異議申し立て運動は今後決して繰り返してはいけない、ということに尽きると思います。

池上　たしかに、後世に残したものがないんですよね。これがちょうど同じ頃、一九六八年に起きたパリの五月革命だとかなり違うのですが。

五月革命も学生や労働組合が街頭でデモをすれば非常に多くの人が集まり、またゼネストも成功してドゴール政権を窮地まで追い詰めたのに、その直後に行われた選挙ではドゴール派が圧勝しました。街頭での左派の盛り上がりとは裏腹に、選挙では有権者は保守的な選択をしたことに、デモに参加した学生たちの多くは挫折感を覚えました。

ただその一方で五月革命がフランスという国を大きく変えたのも事実でした。今の「人権先進国」というイメージのフランスしか知らない世代には意外に思えるかもしれませんが、それまでのフランス社会は女性に対し「良妻賢母」であることを美徳として押し付け、女性の社会進出についても制限していました。服装だってスカートをはくのが正しくてジーンズなんてもってのほか。当然ながら雇用の男女格差も大きく、社会のいろいろな局面で女性差別がまかり通っていた。

それがパリの五月革命をきっかけに劇的に男女平等の意識が高まったんです。だから選挙結果という現実政治の動向とは別に、五月革命には女性の権利向上、社会的地位向上に関して国民の意識を変えたという功績がありました。

佐藤　日本の新左翼も暴力に走らなければ、あるいは暴力に走ったとしても権力に対する暴力にとどめていれば一定の存在感を残せていた可能性もあったのでしょうが、内部での殺し合いに走ったことが致命的でしたね。

あるいは日本の新左翼運動が残したのは、島耕作型のサラリーマンを大量生産したことかもしれません。

池上　島耕作型のサラリーマンというと？

佐藤　個としての自立にはこだわるけれど、目の前の利益にだけ執着するという生き方です。島耕作は社内の派閥に属さないけれど仕事はでき、出世のチャンスも逃さないという男でしょう？　新左翼の連中は信頼していた仲間に裏切られ、党も何も信用できず頼れるのは自分だけ、という局面を程度の差こそあれ経験しているから、運動から身を引いた後にこのタイプのサラリーマンになった人たちは多かったはずです。

もうひとつは「最後に信用できるのは家族だけ」という意識から発する生活保守主義です。政治など社会の問題に対して、自分たちと地続きの問題として真剣に捉えず、たまに話題にすることがあっても居酒屋論議レベルの無責任な議論しかしない。「政治」や「社会」と、自分たちの「生活」を完全に切り離して自分の生活だけ大事にし、あとは自分のキャリアアップのためだけに頑張る。そういう新自由主義の母体をつくったという意味では新左翼運動の影響は大いにあったと思います。

池上　日本人を「総ノンポリ」化してしまった面は間違いなくあったでしょうね。若い人が政治に口を出すことや、政治参加することに対して大変危険なことだというイメージを多くの人がもつようになってしまった。七〇年代に我が子を東京の大学に行かせていた日本各地の親たちは、「頼むから学生運動だけはやらないでくれ」「政治的なことには関わらないでくれ」と本気で願っていましたから。

佐藤　「政治は怖い。こんなものには手を出さないに限る」となってしまった。たしかに怖いことは怖いんですけどね。

その関連で言えば、日本において間接民主主義や代理制民主主義の価値がいまひとつ高まらないのは、新左翼が我々の代表を送り出すなんてブルジョアジー体制を強化するものでナンセンスだという理由で議会を否定した影響もありそうです。

日本のどの選挙区も悪い政治家ととんでもない政治家しかいなくて、選挙がそいつらを排除するために一票を投じるという消極的な位置づけのものになってしまった。国家を運営する側からすれば、自分たちに異議申し立てをするような本格的な左翼運動をする政党が共産党だけになってしまったので、非常に助かっている面もあるでしょう。

その意味では「権力による泳がせ政策」という共産党の見立てはある意味で正しかった。もっとも権力が新左翼を「泳がせた」ことで全体として見た場合、左翼運動は打撃を受けたけれども、共産党自身も日本左翼内のヘゲモニーを握るという恩恵を受けたわけですが。

「一枚上手」な国家権力

池上　過激な「撥ねる運動」は、確かに共産党の言うとおり、警察にとって非常に都合がいい面はありますね。それをすることで民衆が離反してしまいますからね。

佐藤　国家権力の新左翼に対する介入の仕方は巧みでした。彼らの内ゲバに対しては、殺人事件や傷害事件としてもっと徹底的な摘発だってできたはずです。ところが警察の態度は実際にはそれほど徹底的ではなかった。それはこうすることで新左翼を社会から遊離させたかったからです。

そうした警察側の手法を、共産党では「泳がせ政策」と表現し、革マル派は「権力の謀略論」、中核派は「KK連合（警察・革マル派連合）」と呼ぶわけですが、これらはどれも権力が中立的でない介入をしているという見方が共通しています。

ただ私は当局側の論理がよくわかるのですけど、当局はことの全貌がわかるまでは基本的に泳がせるものなんです。内部にスパイを送り込んだうえである程度好きなように行動させ、このタイミングだと見極めたところで一網打尽にする。つまり戦力の逐次投入をしないわけですが、東アジア反日武装戦線にしても赤軍派にしてもすべてこの手法で壊滅まで追い込んでいますので泳がせるのは公安警察の普通のやり方なんです。

池上　東京都内で殺人事件が起きると普通は警視庁の捜査一課が出てくるものですけど、新左翼の内ゲバになると公安警察が出てきますよね。捜査一課と公安では捜査の目的が全く違う。捜査一課の場合は犯人逮捕が最大の目的であるのに対して、公安の捜査は基本的に誰がどういう目的で、どういう指揮命令系統で事件を起こしたのかを情報収集するんです。でもその情報をもとに是が非でも犯人を逮捕するのかといえばそうじゃない。

私がNHK社会部で警視庁捜査一課を担当していた頃にも、大田区の南千束で革マル派の学生五人が中核派に一度に殺される事件が起きたことがありました。

殺人事件発生と聞いて機動捜査隊や警視庁捜査一課も、私たち捜査一課担当の記者たちも現場に行ったのだけど、被害者が革マルだとわかった途端に彼らは「ああ、これは俺たちは関係ない」と公安にお任せして引き上げてしまった。だから私たちも公安担当の記者に任せて引き上げるしかなかった。

佐藤　公安は情報を集めたうえであえてどちらも放置し、結果的に中核派だけでなく、このような事件に関しては被害者側になった革マルも、両方社会から遊離するように仕向けるんです。権力側はそれくらいのことは常にやっていますし、権力というのはそういうものです。

だから結局、生存のための戦略という点に限っていえば、新左翼よりも権力側のほうが知恵があったということでしょう。

「ゴロツキ」化する新左翼

佐藤　七〇年代という時代についてもう一点指摘しておかなければいけないのは、ヘゲモニーの問題です。これはイタリアのマルクス主義者であるアントニオ・グラムシが言っているのですけど、ヘゲモニーというのは特定の空間の中での権力なんです。だからその意味では、一九六〇年代までの日本では、マルクス主義は少なくとも大学という空間の中においてはヘゲモニーを握っていたわけですよね。

共産党の物神性、党の権威のようなものは、一九六〇年代以降は六〇年安保や四・一七ストをきっかけにして知識人たちの中ではすでに崩壊していました。しかしその一方で、マルクス主義そのものへの敬意は、一九六〇年代のうちはまだ相当に強いものがありましたし、それを専門的に論じることができる知識人への敬意も残っていました。

だから研究者として大学に残るうえでは、マルクス経済学を専攻しない人よりも専攻した人のほうが高い評価を得られましたし、あるいはステイタスが高い一流企業に就職するうえでも、大学でマル経を学ぶことはむしろ有利でした。

国家公務員の総合職の学科試験でも、近経とマル経から出題されるという時代がずっと続いていたほどです。

また大学という場における教授と学生の関係も、『日本の夜と霧』でも描かれていたように、全共闘以前の時代では大学には左翼的な教授がいて、彼らが学生たちのモラルに対して一定の抑えを効かせる役目を果たしていました。

だからマルクス主義は、少なくとも六〇年代まではそうした制度化された学問の中に非常にうまく入りこんでいたわけです。ところが全共闘以降、そうしたヘゲモニーは崩れていきました。学生に対する教授の抑えも、全共闘以降は効かなくなっていきました。

池上　丸山眞男《まるやままさお》なんて、六〇年安保の頃までは戦後民主主義のリーダーとして学生たちから尊敬を集めていたのに、六〇年代末には打って変わって全共闘の学生たちから「戦後民主主義の欺瞞」のシンボルとして攻撃されましたからね。その心労がたたって体を壊し、東大を早期退官せざるをえなくなった。

佐藤　だから左翼がかつて与えられていた権威は全共闘以降、モラルの面でも完全に失われてしまいましたね。それが全共闘以前と以後の最大の違いの一つだと思います。

池上　かつて「朝日・岩波路線」という言い方がされたように、「朝日ジャーナル」や岩波の月刊誌「世界」に論文を寄稿しているような教養人たちは、左派にカテゴライズされてはいてもそれ以前に左右の対立軸とは無関係に屹立する教養人として世間的に漠然と尊敬を集めていた面がありました。たとえ尊敬までいかずとも少なくとも敬意を持って遇されるというイメージはずっとありましたからね。それが、七〇年代以降は急激に壊れていきました。

佐藤　だから「朝日ジャーナル」のような、ものすごく細かい字で難しいことが書いてあるような雑誌を読むことがカッコいいことと思われていた。高橋和巳《たかはしかずみ》の『邪宗門』にしても、「朝日ジャーナル」の連載小説であるがゆえにみんなが競って読みたがり、一定の教養を要する難しい小説であるにもかかわらずベストセラーになった。

そういう時代が全共闘を境にして変わってきましたね。そのあとは全共闘の中にあったゴロツキ文化のほうだけが発展していった。

だから労働運動もこの時期からある種「ゴロツキ」化していきました。国労なども、かつては組合員たちが労農派マルクス主義をあれだけ熱心に学び、個々の労働者が高度に理論武装していたにもかかわらず、七〇年代になると荒《すさ》んでいきました。

現場教育なども、「おい、職制。てめえ俺の靴下の匂いが嗅げねえか」といびり倒すような場になり、「仕事をサボればサボるほど革命が近づく」とうそぶくような輩が出始めた。ですから七〇年代は一言で言うと、左翼の堕落の時代じゃないかと私は思っています。

「ロマン主義的な運動」の弱点

佐藤　第一章でも言いましたが、権力側との力の差を考えれば、火炎瓶や手製爆弾では自衛隊はもとより機動隊にも対抗できないのですから。新左翼運動は現代から振り返ればすべて「ロマン主義」の一言で括れてしまうと思います。

池上　ロマン主義であるがゆえにますます現実から遊離していった。

佐藤　ただ、だから新左翼は面白いのも事実なんですよ。リーダーたち一人ひとり個性が豊かで、それぞれの党派にも個性がある。それは彼らが、なろうと思えば大学教授や官僚、裁判官や弁護士、一流企業の総合職などゆくゆくは日本の中枢から動かせるくらいの知的能力も意欲も備えながら、社会の矛盾を正したい一心で自分の人生全部を棒に振る覚悟でロマンを追求したからです。既存体制の中にある知識人の欺瞞、大学の中の親分・子分関係にもとづく空虚なヒエラルキー、そうしたものすべてに異議申し立てをすることで、人間の解放をしようと本気で目指していた。

そういう意味では、**自分一人の栄達だけで満足できてしまえる二一世紀型のエリートではなかった。そこはやはり評価しなければいけない点だと思います。**

池上　ある種のノブレス・オブリージュ（高貴な者が宿命的に負う義務）を自覚していたとも言えますね。

佐藤　ただ新左翼の本質はロマン主義であるがゆえに、多くの者にとって運動に加わる入り口になったのは、実は思想性などなにもない、単純な正義感や義侠心でした。そのために大学内の人間関係などを軸にした親分・子分関係に引きずられて任侠団体的になり、最後は暴力団の抗争に近づいていった。

これは連合赤軍のナンバースリーであり、あさま山荘に立て籠もった五人のうちのひとりでもある坂口弘の回顧録『あさま山荘1972』（彩流社）を読むとよくわかります。

この本によれば、坂口が連合赤軍の母体となる京浜安保共闘（革命左派）に加わった最初の動機は、出身大学の東京水産大学（現・東京海洋大学）在学中に発覚した大学当局の不正経理の問題と、その問題を先頭に立って追及していた川島豪《かわしまつよし》（のち革命左派議長）に対する素朴な憧れの感情、つまり「川島さんのようになりたい」という気持ちだったそうです。『続 あさま山荘1972』で坂口は、〈私は、今でも固く信じているが、川島氏を除く全ての革命左派メンバーは本来、穏健な人間で、川島氏が武装闘争を始めなければ、決してこのような闘争に関わることはなかったはずである〉とも述べています。

だから新左翼の心理を理解するには映画『仁義なき戦い』を見るのがいい。得体のしれない「出入り」が日常的にあって、以前は仲良く付き合っていた同じ大学の仲間と、組（党派）を違えたせいで殺し合いをしなければいけなくなる。あるいは組織の下っ端は「男を上げ」ようとして死にものぐるいで頑張るのだけれど、そうした下の心情を組織の幹部は知りぬいた上で利用していて、最後は消耗品として使い捨てられる……。あれが新左翼の雰囲気そのままですし、あの映画を全共闘世代が熱狂的に支持したのは当然です。

池上　今の人たちからすれば、当時の大学生がなぜこんなことをやっていたのか意味不明でしょうけど、やっている本人からすればアドレナリン分泌が止まる暇もなかったでしょうからね。

佐藤　毎日が本当に命がけですからね。私だって一九七九年の同志社大学だったから神学部自治会の運動に参加できたのであって、これが関東だったらやっていません。

同じ七〇年代末でも、このころ関東で学生運動をやるということは「社会から降ります」と宣言するのと限りなく等しいことであって、運動と学業を並行して行うなんてできませんし、ましてや公務員試験を受けるなんて不可能でした。私ができたのは京都特有の「緩さ」のおかげです。

池上　関東は一九七〇年代末ともなれば、学生運動はごく一部を除いてほぼ壊滅状態でしたからね。

佐藤　でもそれが京都の同志社だとまだ運動に広がりがあって、全学バリケードストライキも打てたんです。それは「緩さ」があって、大学の教師たちも多くが往年のブントなどの活動家たちだったから。だから運動に参加した学生が卒業後に商社に就職しようが外交官になろうが、「日和った」とは全く言われませんでした。

この頃に同志社大学神学部の学生部長を務めていた野本真也《のもとしんや》（後に神学部長、学校法人同志社理事長、二〇二一年死去）という教授から言われた言葉が、私にとって非常に印象深いものなんです。

「佐藤君、政治には「大人の政治」と「子供の政治」がある。私は、君たち学生が学友会（ブント系が握る同志社の学生組織）で活動することも、神学部自治会がアナーキズム運動をやることも全く構わない。君等は怒るかもしれないがそれは「子供の政治」だからだ。

その「子供の政治」を経験しながら、様々に試行錯誤をしていくのは学生にとって必要なことだし、同志社は元々そういう経験を許容する空間だった。

政治の世界で起きることはパターンとしては全部同じだから、人をまとめるのがどれほど大変で、どんなところから諍いが起きるか小宇宙での経験を通して知っておけば、卒業後に大きな政治に遭遇したときに、それが保守系であろうが革新系であろうが、あるいは企業内の政治であろうが過度に戸惑わずに済むからだ。

ただし民青や中核派、あるいは統一教会は違う。これは「大人の政治」、大人が自分たちの組織的目的のために子供たちを利用する政治だ。我々は教育的観点で、そうした「大人の政治」から君たちを守る義務がある」というんです。

池上　なるほど。

佐藤　だから同志社の執行部では明確に「大人の政治」と「子供の政治」を分けて考えていて、民青と統一教会、中核派などには厳しく対応する一方でブント系には甘かったんです。学生が自主的に犯したちょっとした暴発に関しても、他の大学だったら到底退学を免れないレベルのことでもあえて見逃していました。それは今から考えても非常に良い環境だったと思いますし、実際に当時のリーダーだった人たちはみんなその後に民間企業、アカデミズム、ジャーナリズム、教会、政界などで活躍しています。

「過激化する論理」から学ぶ

池上　それにしても、こうやってふりかえってみても、全共闘の活動がどうしてこうも先鋭化し、最終的に赤軍派や連合赤軍のようなテロ行為、集団リンチ殺人に至ってしまったのか不思議だという人は多いかもしれませんね。

佐藤　そうですね。ただこれは一言でいえば「そういうもの」としか言いようがないです。

ナショナリズムにおいては、「より過激なほうがより正しいことになる」という原則があります。たとえば北方領土問題では、ロシアが実効支配している四島のうち歯舞《はぼまい》群島と色丹《しこたん》島の二島を返還させるよりは択捉《えとろふ》島、国後《くなしり》島も含めた四島返還のほうが正しいということになる。さらにはサンフランシスコ講和条約締結時に日本が領有権を放棄した千島列島や南樺太も含めて全部返せというほうが正しいということになってしまう。固まった空間の中に限られた人間だけで活動していると、どうしてもそうなるんです。革命運動もそれと同じで、より過激なほうがより正しいということになってしまうから当然に先鋭化する。

池上　そうですね。**閉ざされた空間、人間関係の中で同じ理論集団が議論していれば、より過激なことを言うやつが勝つに決まっている。**

佐藤　特に学生の集まりである全学共闘会議では、議論の過程で各派が功名心や自己顕示欲に駆られ、いつの間にか過激な提案の応酬になってしまうということはごくありがちなことだったでしょう。若者だけで集まってどちらのほうがより権力と戦えるか、どれだけ過激なことができるかを競い合うようになれば、どうしたってとる手段も荒唐無稽になります。

それに加えて権力というのはもともとあまりに大きすぎる敵で全体像が見えにくいですから、権力よりは革命勢力の内側にいながら権力と迎合する（かのように見える）日和見分子の存在がどうしても目に入ってきてしまう。結果として権力よりも先に反革命勢力を打倒しないと革命は起こせないという思い込みから内ゲバに走っていく。

池上　中核と革マルにしても最初は単なる路線の違い、革命の方法論の違いをめぐる意見の相違でしかなかったのが、いつの間にかお互いの憎悪感情が指数関数的に募っていき、気がついたら警察や国家権力よりも憎い相手になっていた。

佐藤　社青同解放派だって、解放派からさらに狭間派と労対派という二派に分裂して、そこからはお互いに出刃包丁で殺し合うような関係になってしまいましたからね。そうなってしまうと外野の人間は誰もついていけません。

ただ、どうしてそんな不毛な時代に突入していったのかを考えると、これは戦前共産党による社民主要打撃論に原因があります。革命を成就させるには自分たち「真の革命勢力」の周辺にいる、革命を装っている連中を殲滅《せんめつ》して革命の隊列を一本にしなければいけないと考えた戦前の日本共産党の理論と体質。これを新左翼が断ち切ろうとせず、無自覚に継承してしまったことによる過ちです。ですから内ゲバの入り口としての社民主要打撃論を学び、その上でこれを克服することは、現代でも社会変革を目指す人にとっては非常に重要だと思います。

私の考えでは、ロマン主義や社民主要打撃論的な内ゲバへの誘惑に流されることなく踏みとどまり、現実的に考えるために必要なことの一つは、組織の内部に「ダラ幹（堕落した幹部）」を作っておき、その現実主義を認めることとです。ロマン主義はダラ幹の存在を認めようとしませんがそういう運動は壁にぶつかって潰れます。

これは別の言葉で言い換えるなら「官僚化する」ということです。**新左翼の強さである**

と同時に最終的な命取りになったのは、彼らが官僚化しないことでした。現代の政治は官僚化しないとできないものなのです。

池上　社民主要打撃論は現代にもつながる部分の多い重要なテーマでしょうね。ただ今巻残りページで語りつくせるものでもなさそうです。次に出る第三巻では、その後の日本の左翼運動の動向、あるいは社会党の没落について見ていきましょう。

おわりに

本書は二〇二一年六月に出版した『真説 日本左翼史』に続くものです。前の本を読んだ読者からは、さまざまな感想をいただきました。私と同年配の世代の人たちからは「新左翼」誕生について、「そうだ、そんなことがあったっけ」という懐古的な感想が多く寄せられました。そうした彼らも、その前の歴史には詳しくなかったようで、「そんなことがあったんだ」という反応でした。

また、団塊の世代より下の人からは、「会社のおじさんたちが言っていた意味がようやくわかりました」という感想をいただきました。「おじさんたち」は、部下に「自分の若い頃は」などと語っていたのでしょう。酔って革命歌「インターナショナル」でも歌おうものなら、かつて軍歌を歌っていた元軍人たちの行動にも似ています。

でも、若い頃の〝武勇伝〟を語りたがる「おじさんたち」がいるのです。もはや絶滅危惧種でしょうが。

そこで思い出すのは、いまから十数年前のこと。日本経済新聞社の幹部諸氏と話をしたときのことです。彼らは、まさに団塊の世代でした。口々にこう述懐したのです。

「我々が日経新聞の入社試験を受験するときは、こんな資本主義万歳の会社に入っていいんだろうかというためらいがあった。どこかに忸怩たる思いがあった。ところが、最近わが社に入って来る新人たちに、そんな感覚は全くない。資本主義こそが正しいという認識を持っているんだ。これでいいのかと思ってしまう」

これが日経新聞で出世した幹部諸氏の発言なのですから、驚いてしまいます。彼らの学生時代、資本主義を否定的に捉える若者たちが大勢いたことを物語っています。本書は、そんな時代の風潮の中で、武力革命を本気で考えた若者たちを紹介しています。

一九六〇年代後半、ベトナム戦争が激化する中で、世界的に「ベトナム戦争反対」の機運が盛り上がっていました。日本でもアメリカに全面的に協力する日本政府への憤りに駆られた若者たちが大勢いたのです。まさに「怒れる若者たち」でした。

そうした彼らの怒りを駆り立てることによって、革命党の建設を目指した人間たちがいたのです。彼らは、日本共産党とは異なる〝真の革命党〟を夢見ていました。

しかし、彼らは革命路線をめぐって対立し、日本共産党を凌駕するだけの組織をつくることはできませんでした。それどころか、互いの対立は、いつしか武力衝突に発展。いわゆる「内ゲバ」が頻発するようになりました。

大学のキャンパスは「新左翼」と呼ばれた諸党派が闊歩する場所に化し、異なる党派の構成員が足を踏み入れると、あっという間に拉致されて監禁され、リンチを受けるという光景が頻出しました。

しかし彼らは、仲間が敵対する党派に拉致されても警察を呼ぶことはしません。「革命党派」としては、権力の手を借りることは裏切りになるからです。

かくして、仲間を自力で救出しようと敵対勢力を角材で襲撃する。角材が、やがて鉄棒にエスカレートする。まさに殺し合いが展開されることになったのです。

私も凄惨な現場に立ち会うことがありました。本文でも触れたように一九八〇年一〇月、大田区南千束の区立洗足池図書館前の路上を歩いていた革マル派のメンバー五人が、十数人の中核派メンバーの襲撃を受け、全員が殺害されたのです。

革マル派の五人は、中核派による襲撃を警戒し、腕には剣道用の籠手を巻き、晴れていても頑丈な傘を持ち歩いていたのですが、多数に包囲されて鉄棒で殴打され、全員が亡くなりました。

当時、私はＮＨＫ社会部で警視庁担当。「殺人事件発生」の報で現場に駆け付けました。五人の遺体は東調布警察署（現在の田園調布警察署）に安置され、身元確認のために家族が呼ばれました。嗚咽する母親の姿を忘れることができません。

前途ある若者たちが、なぜ無残にも殺害されなければならなかったのか。これが〝革命党〟のやることなのか。慄然とするしかありませんでした。

本書で佐藤優氏と「内ゲバ」の淵源と結末について語り合ったのは、こうした左翼の失敗を二度と繰り返してはならないという思いからです。少しでも参考になれば幸いです。

本書の完成にあたっては、講談社現代新書の青木肇編集長、編集部の小林雅宏氏、ライターの古川琢也氏に大変お世話になりました。感謝しています。

池上 彰

二〇二一年一一月

N.D.C.210　266p　18cm
ISBN978-4-06-526569-7

写真提供：共同通信社（P45、P155、P177、P223）
朝日新聞社（P17、P103、P211、P235、P241）
講談社資料センター（P35、P91、P123、P134）

JASRAC 出 2109867-101

講談社現代新書　2643

激《げき》動《どう》　日《に》本《ほん》左《さ》翼《よく》史《し》　学《がく》生《せい》運《うん》動《どう》と過《か》激《げき》派《は》　1960―1972

二〇二一年一二月二〇日第一刷発行　二〇二二年三月七日第四刷発行

著者　池《いけ》上《がみ》彰《あきら》　佐《さ》藤《とう》優《まさる》

発行者　鈴木章一
発行所　株式会社講談社
東京都文京区音羽二丁目一二―二一　郵便番号一一二―八〇〇一
電話　〇三―五三九五―三五二一　編集（現代新書）
〇三―五三九五―四四一五　販売
〇三―五三九五―三六一五　業務
装幀者　中島英樹
印刷所　豊国印刷株式会社
製本所　株式会社国宝社
本文データ制作　講談社デジタル製作
定価はカバーに表示してあります　Printed in Japan

「講談社現代新書」の刊行にあたって

教養は万人が身をもって養い創造すべきものであって、一部の専門家の占有物として、ただ一方的に人々の手もとに配布され伝達されうるものではありません。

しかし、不幸にしてわが国の現状では、教養の重要な養いとなるべき書物は、ほとんど講壇からの天下りや単なる解説に終始し、知識技術を真剣に希求する青少年・学生・一般民衆の根本的な疑問や興味は、けっして十分に答えられ、解きほぐされ、手引きされることがありません。万人の内奥から発した真正の教養への芽ばえが、こうして放置され、むなしく滅びさる運命にゆだねられているのです。

このことは、中・高校だけで教育をおわる人々の成長をはばんでいるだけでなく、大学に進んだり、インテリと目されたりする人々の精神力の健康さえもむしばみ、わが国の文化の実質をまことに脆弱なものにしています。単なる博識以上の根強い思索力・判断力、および確かな技術にささえられた教養を必要とする日本の将来にとって、これは真剣に憂慮されなければならない事態であるといわなければなりません。

わたしたちの「講談社現代新書」は、この事態の克服を意図して計画されたものです。これによってわたしたちは、講壇からの天下りでもなく、単なる解説書でもない、もっぱら万人の魂に生ずる初発的かつ根本的な問題をとらえ、掘り起こし、手引きし、しかも最新の知識への展望を万人に確立させる書物を、新しく世の中に送り出したいと念願しています。

わたしたちは、創業以来民衆を対象とする啓蒙の仕事に専心してきた講談社にとって、これこそもっともふさわしい課題であり、伝統ある出版社としての義務でもあると考えているのです。

一九六四年四月　野間省一

政治・社会

日本史Ⅰ

Ⓖ

哲学・思想Ⅱ

経済・ビジネス